Español

Tercer grado LECTURAS

Español. Tercer grado. Lecturas fue elaborado por el Programa Nacional para el Fortalecimiento de la Lectura y la Escritura la Educación Básica, con la colaboración de la Dirección General de Materiales y Métodos Educativos, actualmente Direcc General de Materiales Educativos, de la Subsecretaría de Educación Básica.

Secretaría de Educación Pública
Josefina Vázquez Mota

Subsecretaría de Educación Básica
José Fernando González Sánchez

Dirección General de Materiales Educativos
María Edith Bernáldez Reyes

Autoras
Margarita Gómez Palacio
Laura V. González Guerrero
Laura Silvia Iñigo Dehud
Elia del Carmen Morales García
Sara Y. Moreno Carbajal
Beatriz Rodríguez Sánchez
Beatriz S. Cotero Balcázar
Mariela Grimaldo Medina
Liliana Iñigo Dehud
Lucía Jazmín Odabachian Bermúdez
María Esther Salgado Hernández
Elizabet Silva Castillo

Coordinación editorial
Elena Ortiz Hernán Pupareli

Cuidado de la edición
José Manuel Mateo Calderón

Supervisión técnica
Alejandro Portilla de Buen

Portada
Diseño: Comisión Nacional
de Libros de Texto Gratuitos
Ilustración: *Del español y la yndia nace el mestizo*
Óleo sobre tela, 102.5 × 127 cm
José Joaquín Magón, siglo XVIII
Colección particular
Selección: Rosa María González Ramírez
Fotografía: José Ignacio González Manterola

Servicios editoriales
CIDCLI

Coordinación editorial e iconográfica:
Patricia van Rhijn Armida
Rocío Miranda

Ilustración:
Claudia Legnazzi (lecciones 1 y 8)
Margarita Rascón (lección 2)
Ana Laura Salazar (lecciones 3 y 18)
Tané, arte y diseño [Enrique Martínez]
    (lectura complementaria *Cristóbal Colón*)
Gloria Calderas (lectura complementaria *Un amigo*)
Mónica Guerrero (lecciones 5 y 9)
Mauricio Gómez Morin (lección 6)
Viviana Délano (lección 7)
Felipe Ugalde (lecturas complementarias
    El escuintle y *Las ruinas indias*)
Leonid Nepomniachi (lecciones 10 y 20)
Julio César García (lección 11)
Irina Botcharova (lecciones 12 y 19)
Maribel Suárez (lección 14)
Fabricio Vanden Broeck (lección 15)

Diseño:
Rogelio Rangel
Annie Hasselkus
Evangelina Rangel

Reproducción fotográfica:
Rafael Miranda

Primera edición, 1999
Segunda edición, 2000
Octava reimpresión, 2007 (ciclo escolar 2008-2009)

D.R. © Secretaría de Educación Pública, 1999
    Argentina 28, Centro,
    06020, México, D.F.

ISBN 978-970-18-4229-4 (Obra general)
    978-970-18-4230-0

Impreso en México
DISTRIBUCIÓN GRATUITA-PROHIBIDA SU VENTA

Presentación

La serie *Español. Tercer grado* está formada por dos nuevos libros de texto gratuitos: *Lecturas* y *Actividades*. Fueron elaborados en 1999 y sustituyen a todos los materiales que, hasta el ciclo 1998-1999, se utilizaron en las escuelas primarias para esta asignatura y grado.

El libro de *Lecturas* es el eje articulador de los nuevos materiales. Con base en los textos que reúne se plantean ejercicios y juegos en el libro de *Actividades*.

La elaboración de estos libros estuvo a cargo de maestros y especialistas cuya propuesta didáctica recupera, tanto resultados de investigaciones recientes sobre la adquisición de la lengua escrita y el desarrollo de habilidades comunicativas en los niños, como la amplia experiencia docente acumulada a lo largo de varios años por muchos profesores de este ciclo escolar.

Las maestras y los maestros de tercer grado contarán además con el *Libro para el maestro* de Español, que incluye recomendaciones puntuales sobre el uso de los materiales dirigidos a los alumnos, las formas en que éstos se articulan y las maneras de vincular los otros libros de texto gratuitos del grado con los procesos de enseñanza de la lectura y la escritura. Este libro para el maestro se suma a la nueva edición del *Fichero. Actividades didácticas*, previamente distribuido. Los dos materiales, en conjunto, ofrecen los apoyos necesarios para que los profesores desempeñen adecuadamente su labor docente en este campo.

La renovación de los libros de Español forma parte del proceso general para el mejoramiento de la calidad de la enseñanza primaria que desarrolla el gobierno de la República.

Para que esta tarea de renovación tenga éxito es indispensable mantener actualizados los materiales, a partir de las observaciones que surjan de su uso y evaluación. Para ello, son necesarias las opiniones de los niños y los maestros que trabajarán con estos libros, así como las sugerencias de las madres y los padres de familia que comparten con sus hijos las actividades escolares.

La Secretaría de Educación Pública necesita sus recomendaciones y críticas. Estas aportaciones serán estudiadas con atención y servirán para que el mejoramiento de los materiales educativos sea una actividad sistemática y permanente.

Índice

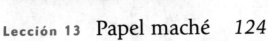

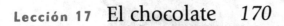

Amistad por carta

Diario de clase

17 de septiembre de 1999.

Hoy, a la hora de clases, la maestra nos dijo:

—Durante las vacaciones conocí a maestros de toda la República, y se nos ocurrió que todos los niños pueden hacerse amigos por medio de cartas. A lo mejor algún día hasta pueden visitarse. Yo me puse de acuerdo con una profesora de Yucatán. Ella me acaba de mandar una lista con los nombres y direcciones de sus alumnos y yo le envié una lista con los nombres de ustedes.

Después la maestra puso en una cajita unas tarjetas. Cada una tenía escrito el nombre y la dirección de un niño de Yucatán. Nosotros sacamos una tarjeta y ahora vamos a escribirle una carta al niño que nos tocó.

A mí me tocó el nombre de una niña. Se llama Yachil y ahora mismo voy a escribirle.

Amistad por carta

Guadalajara, Jalisco, 17 de septiembre de 1999.

Querida Yachil:

Como sabes, nuestras maestras se pusieron de acuerdo para que nos hiciéramos amigos por carta. A mí me gusta mucho la idea. ¿Y a ti? Espero que me contestes y me cuentes cómo te va en la escuela.

Aquí apenas comenzamos las clases, pero quiero contarte algo que me pasó. La directora vino a mi salón hace una semana y sin quererlo me hice su amigo.

Ese día la maestra había revisado los cuadernos de todos y me pidió que, antes de salir al recreo, los pusiera en el lugar de cada quien.

Para no tardarme, hice una pila altísima, pero me tropecé y los cuadernos se cayeron y quedaron por todas partes.

Amistad por carta

¡Hubieras visto! Ya casi había terminado de acomodar todos los cuadernos cuando vi que la directora entraba al salón. Traía una pila de libros tan alta que apenas podía ver. ¿Y sabes qué pasó? ¡Pues a la pobre le ocurrió lo mismo que a mí! Se tropezó y todos los libros salieron volando. Me dio mucha pena y le ayudé a recogerlos.

¡Por segunda vez a hacer lo mismo!

Bueno, al menos entre los dos acabamos pronto y todavía pude salir un rato al recreo.

Cuando la clase volvió a comenzar la directora regresó a mi salón y frente a todos me dio las gracias por ayudarle. Luego nos dijo que había llevado todos esos libros para repartirlos entre el grupo. Los libros tienen cuentos e historias ilustradas y son de una colección que se llama Libros del Rincón.

Cuando se fue la directora me miró, me guiñó un ojo y se sonrió conmigo. Creo que vamos a ser buenos amigos.

Bueno, cuéntame qué te parece tu escuela y cómo te ha ido.

Muchos saludos de tu amigo por carta.

Jaime Rodríguez

Amistad por carta

Niña bonita

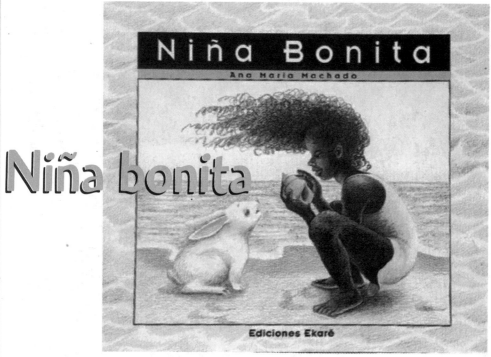

Un día, Belem observaba una fotografía de su familia; estaba tan pensativa que no se dio cuenta de que su mamá le hablaba. Cuando apartó los ojos del retrato, por fin escuchó que su mamá le preguntaba:

—¿Por qué te interesa tanto esa foto?

—Es que... me gustaría saber por qué mi hermana es más morena que yo. ¿Y por qué mi hermano tiene el pelo rizado y yo no? ¿Por qué sólo yo uso lentes?

—Mira Belem, todos nos parecemos en algo, pero también somos diferentes en muchos aspectos. Ven siéntate conmigo, te voy a contar el cuento de una niña negra y de un conejo blanco.

Niña bonita

14

Había una vez una niña bonita, bien bonita.
Tenía los ojos como dos aceitunas negras,
lisas y muy brillantes.
Su cabello era rizado y negro, muy negro,
como hecho de finas hebras de la noche.
Su piel era oscura y lustrosa, más suave que la
piel de la pantera cuando juega en la lluvia.

A su mamá le encantaba peinarla y a veces le hacía unas trencitas todas adornadas con cintas de colores. Y la niña bonita terminaba pareciendo una princesa de las Tierras de África o un hada del Reino de la Luna.

Al lado de la casa de la niña bonita vivía un conejo blanco, de orejas color de rosa, ojos muy rojos y hocico tembloroso. El conejo pensaba que la niña bonita era la persona más linda que había visto en toda su vida. Y decía:

—Cuando yo me case, quiero tener una hija negrita y bonita, tan linda como ella...

Por eso, un día fue adonde la niña y le preguntó:

—Niña bonita, niña bonita, ¿cuál es tu secreto para ser tan negrita?

La niña no sabía, pero inventó:

—Ah, debe ser que de chiquita me cayó encima un frasco de tinta negra.

El conejo fue a buscar un frasco
de tinta negra. Se lo echó encima y se puso
negro y muy contento. Pero cayó
un aguacero que le lavó toda la negrura
y el conejo quedó blanco otra vez.

Niña bonita

Entonces regresó adonde la niña y le preguntó:

—Niña bonita, niña bonita, ¿cuál es tu secreto para ser tan negrita?

La niña no sabía, pero inventó:

—Ah, debe ser que de chiquita tomé mucho café negro.

El conejo fue a su casa. Tomó tanto café que perdió el sueño y pasó toda la noche haciendo pipí. Pero no se puso nada negro.

Regresó entonces adonde la niña y le preguntó otra vez:

—Niña bonita, niña bonita, ¿cuál es tu secreto para ser tan negrita?

La niña no sabía, pero inventó:

—Ah, debe ser que de chiquita comí mucha uva negra.

El conejo fue a buscar una cesta de uvas negras y comió, y comió hasta quedar atiborrado de uvas, tanto, que casi no podía moverse.

Le dolía la barriga y pasó toda la noche haciendo popó.

Pero no se puso nada negro.

Niña bonita

Cuando se mejoró, regresó adonde la niña
y le preguntó una vez más:

—Niña bonita, niña bonita, ¿cuál es
tu secreto para ser tan negrita? La niña no
sabía y ya iba a ponerse a inventar algo
de unos frijoles negros, cuando su madre,
que era una mulata linda y risueña, dijo:

—Ningún secreto. Encantos de una abuela
negra que ella tenía.

Ahí el conejo, que era bobito pero no tanto, se dio cuenta de que la madre debía estar diciendo la verdad, porque la gente se parece siempre a sus padres, a sus abuelos, a sus tíos y hasta a los parientes lejanos. Y si él quería tener una hija negrita y linda como la niña bonita, tenía que buscar una coneja negra para casarse.

No tuvo que buscar mucho. Muy pronto, encontró una coneja oscura como la noche que hallaba a ese conejo blanco muy simpático. Se enamoraron, se casaron y tuvieron un montón de hijos, porque cuando los conejos se ponen a tener hijos, no paran más.

Tuvieron conejitos para todos los gustos: blancos, bien blancos; blancos medio grises; blancos manchados de negro; negros manchados de blanco; y hasta una conejita negra, bien negrita.

Niña bonita

Y la niña bonita fue la madrina de la conejita negra.

Cuando la conejita salía a pasear siempre había alguien que le preguntaba:

—Coneja negrita, ¿cuál es tu secreto para ser tan bonita? Y ella respondía:

—Ningún secreto. Encantos de mi madre que ahora son míos.

—Y colorín, colorado, este cuento
se ha acabado. ¿Te gustó?

—Mucho, mamá. Yo también quisiera
ser como la niña bonita. Ahora entiendo
por qué mis hermanos y yo nos parecemos
y al mismo tiempo somos distintos.

—Así es Belem, realmente todos somos
diferentes, no sólo por nuestro aspecto
físico, sino también por nuestra forma
de ser, nuestros gustos, nuestra manera de hablar.

—¡Ah! por eso dicen que no hay dos personas iguales
en el mundo.

Entonces, Belem guardó la fotografía, le dio un beso
a su mamá y se fue contenta a jugar con sus hermanos.

El diente de Daniela

A Daniela le gusta mucho visitar a sus primos y jugar con ellos. Sobre todo le gusta platicar con Jorge, porque siempre le cuenta cosas nuevas.

Un domingo, la tía de Daniela preparó una rica merienda para todos. Daniela y sus primos estaban hambrientos, pues habían jugado toda la tarde sin parar. Cuando escucharon que la merienda estaba lista corrieron y ocuparon su lugar en la mesa. Daniela mordió una manzana y sintió que algo raro le pasaba en la boca… ¡Se le había aflojado un diente!

Terminaron de merendar y Daniela, un poco asustada, le preguntó a Jorge por qué se aflojaban los dientes. Pero esta vez Jorge no supo qué decir.

El diente de Daniela

En la noche, cuando Daniela regresó a su casa, no dejó de pensar en su diente flojo. "¿Se me va a caer? ¿Me saldrá uno nuevo si éste se cae? ¿Por qué se caen los dientes?". Y así siguió pensando hasta quedarse dormida.

A la mañana siguiente, mientras desayunaba para ir a la escuela, le dijo a su mamá que tenía un diente flojo. Luego le preguntó:

—Oye, mamá, ¿se me va a caer el diente?

—Déjame ver.

Daniela abrió la boca y su mamá comprobó que el diente estaba a punto de caerse.

—Pues sí, ya está muy flojito.

—¿A ti también se te cayeron los dientes cuando eras niña?

—Claro —contestó la mamá de Daniela con una sonrisa—, todos cambiamos de dientes a tu edad. No te preocupes, cuando regreses de la escuela te voy a llevar con la doctora Lara para que te revise.

Daniela había escuchado cosas terribles de los dentistas y se arrepintió de haber hablado.

Por la tarde, su mamá la llevó al consultorio
de la doctora Lara. Al parecer lo que sabía de los
dentistas no era cierto, pues la revisión no le causó
ningún sufrimiento y la doctora era muy simpática
y amable.

—Mira, Daniela —comenzó a decir la doctora
mientras mostraba un libro con ilustraciones—,
cuando somos niños tenemos 20 dientes de leche
o temporales. Con el tiempo todos nuestros huesos
crecen, incluso los huesos de la boca en donde están
los dientes, pero los dientes temporales no aumentan
de tamaño; si no se cayeran serían demasiado pequeños
para el tamaño de nuestra boca y no podríamos
masticar bien los alimentos. Por eso, conforme vas
creciendo, y sin que te des cuenta, debajo de los
dientes temporales van formándose otros.

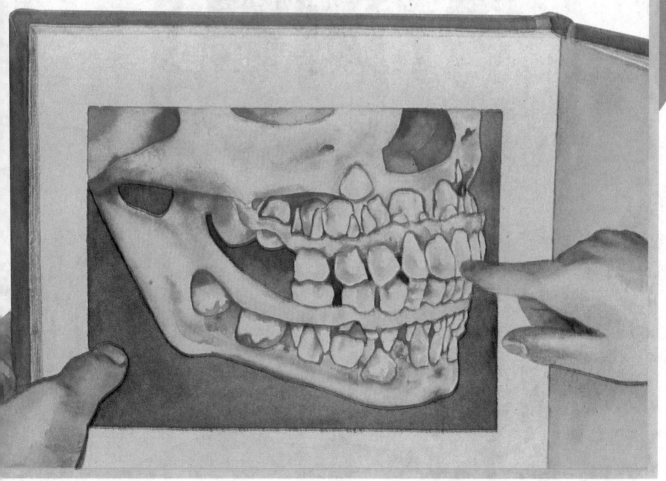

Cuando están listos para salir, empiezan a empujar a los dientes temporales. Por eso ahora tienes un diente flojo. ¡Está por salir uno nuevo! Al final vas a tener 32 dientes nuevos, que serán más grandes y ya no van a cambiar a lo largo de tu vida. Por eso se les llama dientes permanentes.

La doctora le explicó a Daniela que no todos los dientes temporales se caen al mismo tiempo. El cambio de dientes ocurre de manera lenta durante varios años. Por eso hay un periodo en el que los niños se ven chimuelos. También dijo que los dientes de leche son muy importantes porque guardan el espacio que los dientes permanentes necesitan para salir en el lugar adecuado.

Daniela insistió en preguntar:

—¿A todos los niños nos pasa?

—Sí, si observas a tus compañeros, te vas a dar cuenta de que todos están cambiando de dientes.

Daniela salió del consultorio muy contenta porque supo que no se quedaría chimuela para siempre y también porque ahora ella tendría algo nuevo que contarle a su primo Jorge.

El diente de Daniela

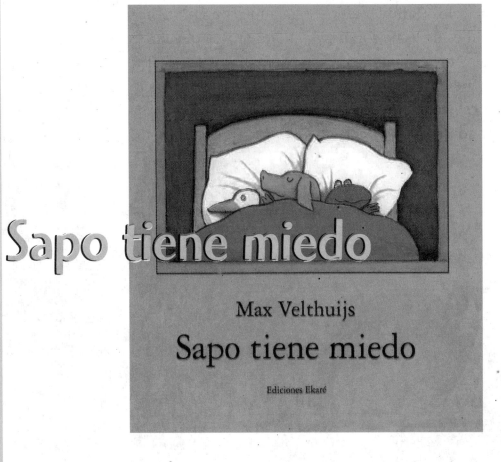

Sapo tiene miedo

Max Velthuijs

Sapo tiene miedo

Ediciones Ekaré

Sapo tenía mucho miedo. Estaba metido en su cama
y escuchaba ruidos extraños por todas partes.
El armario crujía y se oían susurros por las cuatro
esquinas del cuarto. "Hay alguien debajo de mi cama",
pensó Sapo.

   Saltó de la cama y corrió por el bosque oscuro hasta
llegar a la casa de Pata.

   —¡Qué amable! Me has venido a visitar —dijo Pata—.
Pero es un poco tarde y ya me voy a acostar.

   —Por favor, Pata —dijo Sapo—. Tengo miedo.
Hay un fantasma debajo de mi cama.

Sapo tiene miedo

—Tonterías —dijo Pata riéndose—. Los fantasmas no existen.

—Sí existen —dijo Sapo—. Y el bosque también está embrujado.

—No tengas miedo —lo tranquilizó Pata—. Te puedes quedar conmigo. Yo no estoy asustada.

Y se acurrucaron juntos en la cama. Sapo ya no tenía miedo.

De pronto, oyeron rasguños en el techo.

—¿Qué fue eso? —preguntó Pata y se sentó de golpe.

Luego, escucharon unos crujidos en la escalera.

—¡Esta casa está embrujada! —gritó Sapo—. Vámonos de aquí.

Sapo y Pata corrieron por el bosque oscuro.

Sentían que había fantasmas y monstruos
por todas partes.

Llegaron jadeando a la casa de Cochinito
y golpearon a la puerta.

—¿Quién es? —preguntó una voz soñolienta.

—Por favor, Cochinito, abre la puerta.
Somos nosotros —gritaron Sapo y Pata.

Sapo tiene miedo

—¿Qué pasa? —preguntó Cochinito enojado—. ¿Por qué me despiertan a medianoche?

—Por favor, ayúdanos —dijo Pata—. Estamos aterrados. El bosque está lleno de fantasmas y monstruos.

Cochinito se rió.

—¿Qué tonterías son esas? Los fantasmas y los monstruos no existen. Ustedes lo saben.

—Mira tú mismo y verás —dijo Sapo.

Cochinito se asomó por la ventana, pero no vio nada raro.

—Por favor, Cochinito, ¿podemos dormir contigo? Tenemos tanto miedo.

—Bueno —dijo Cochinito—. Mi cama es grande y a mí nunca me da miedo. No creo en esos cuentos de fantasmas.

Los tres se acostaron en la cama de Cochinito.

"Esto es muy rico", pensó Sapo. "Ahora no nos puede pasar nada."

Pero en ese momento, sintió otra vez los ruidos extraños que venían del bosque.

—Pata —susurró Sapo—. ¿Escuchas?

—Sí —contestó Pata—.

Y esta vez, Cochinito también los oyó. No podían dormir.

Los tres amigos trataron de darse ánimo. Se acurrucaron y repitieron juntos una y otra vez:

—No tenemos miedo. No le tenemos miedo a nada.

Pasó mucho tiempo hasta que, por fin cansados, se quedaron dormidos.

A la mañana siguiente, Liebre fue a visitar a Sapo.

La puerta estaba abierta de par en par y Sapo no se encontraba por ningún lado.

"Qué extraño", pensó Liebre.

La casa de Pata también estaba vacía.

—Pata, Pata ¿dónde estás? —gritó Liebre pero nadie contestó.

Liebre comenzó a preocuparse y pensó que, tal vez, algo terrible había pasado.

Muy asustado, corrió por el bosque buscando a Sapo y a Pata. Buscó por todas partes, pero no encontró ni una seña de sus amigos.

"Tal vez Cochinito sepa dónde están", pensó.

Liebre tocó a la puerta de Cochinito. Nadie contestó.

Todo estaba quieto y en silencio. Se asomó por la ventana y allí estaban sus tres amigos en la cama, rendidos durmiendo.

¡Eran las diez de la mañana! Liebre golpeó en la ventana.

Sapo tiene miedo

—¡Un fantasma! —gritaron Sapo, Pata y Cochinito.
Pero luego vieron que era Liebre.

Cochinito quitó el candado de la puerta y los tres
corrieron afuera.

—Liebre, Liebre —dijeron—. ¡Tuvimos tanto miedo!
El bosque está lleno de fantasmas y monstruos horribles.

—¿Fantasmas? ¿Monstruos? —preguntó Liebre,
sorprendido—. Pero si no existen.

—¿Cómo lo sabes? —preguntó Sapo enojado—.
Había un fantasma debajo de mi cama.

—¿Lo viste? —preguntó Liebre sin alterarse.

—Bueno..., no —dijo Sapo—. No lo vi, pero sí lo oí.

Entonces, por un largo rato, los cuatro amigos
hablaron de fantasmas y de monstruos y de otras
cosas espeluznantes.

Sapo tiene miedo

Cochinito preparó té.

—¿Saben? —dijo Liebre—. Todo el mundo tiene miedo alguna vez.

—¿Tú también? —preguntó Sapo sorprendido.

        —Sí, yo también —contestó Liebre—. Tuve mucho miedo esta mañana cuando pensé que ustedes se habían perdido.

Hubo un silencio.

Y entoces Sapo, Pata y Cochinito se rieron.

—No seas tonto, Liebre —dijo Sapo—. No tienes que tener miedo. Nosotros siempre estaremos aquí.

Liebre sonrió.

—Y yo estaré con ustedes cada vez que le tengan miedo a los fantasmas.

Un amigo *Leif Kristianson*

Tener un amigo es maravilloso. Es como levantarse y sentir que brilla el sol.

Un amigo es alguien con quien puedes pasar un rato hermoso. Pero un amigo es más que eso. Es alguien que piensa en ti cuando estás lejos. Alguien que cruza los dedos cuando tienes que hacer algo difícil.

Nunca estás del todo solo cuando tienes un amigo. Un amigo escucha lo que dices y también trata de entender lo que quieres decir. Pero un amigo no siempre está de acuerdo contigo. A veces te contradice para que pienses con cuidado.

Un amigo te quiere aunque te hayas equivocado.

Un amigo te impulsa a hacer cosas nuevas, cosas que tú nunca hubieras imaginado.

Amigo es una palabra hermosa. ¡Es casi la mejor palabra!

Todos pueden ser amigos de alguien. Pero es necesario que tengas el corazón abierto para ver cuando alguien quiere ser tu amigo.

Un amigo es alguien con quien puedes pasar un rato hermoso, que piensa en ti, que te escucha y te dice cuando te equivocas, que te enseña cosas nuevas y siempre tiene tiempo para ti. ¡Alguien en quien puedes confiar! ¿Quién es tu amigo?

Un amigo

Pita descubre una palabra nueva

Una mañana Tomás y Anita entraron en la cocina
de Pita y le dieron los buenos días, pero Pita no contestó.
Sonreía apenas con expresión soñadora.

—Perdonen que no conteste a su saludo; estoy pensando
en lo que acabo de descubrir —dijo Pita.

—¿Qué has descubierto?

—¡Una palabra nueva! ¡Una estupenda palabra!

—¿Qué clase de palabra? —indagó Tomás con cierta
desconfianza.

—Una maravillosa palabra. Una de las mejores
que he oído en mi vida.

—Anda, dínosla, Pita —dijeron los niños.

—¡Palitroche! —dijo Pita triunfante.

—¿Palitroche? ¿Y qué quiere decir?

—¡Ojalá lo supiera!

—Si no sabes lo que significa, no sirve para nada —dijo Anita.

—Eso es lo que me preocupa —contestó Pita mordisqueándose el pulgar de la mano derecha.

—¿Quién dice lo que significan las palabras? —preguntó Tomás.

— Yo creo que se reunieron algunos maestros viejitos —dijo Pita—. Inventaron algunas palabras y luego dijeron: "Esta palabra quiere decir esto…"

Pero a nadie se le ocurrió una palabra tan bonita como palitroche. ¡Qué suerte que haya dado yo con ella! ¡Y les apuesto lo que quieran que descubriré lo que significa! Quizá se le pueda llamar así al ruido que hacemos cuando andamos en el lodo. A ver cómo suena: "Cuando Anita anda en el lodo puede oírse un maravilloso palitroche…" No, no suena bien. Eso no es.

Quizá es algo que puede comprarse en las tiendas. ¡Vamos a averiguarlo!

—¡A ver si podemos! —añadió Tomás.

Pita fue a buscar su monedero y lo llenó de monedas.

—Palitroche suena como una cosa bastante cara. Seguramente me alcanzará con esto.

Ya puestos de acuerdo, los tres salieron muy preocupados de la casa.

Llegaron a una pastelería.

—Quisiera comprar algunos palitroches —dijo muy seria Pita.

—¿Palitroches? —preguntó la señorita que despachaba—. Creo que no tenemos.

Entraron a una ferretería.

—Quiero comprar un palitroche —dijo Pita.

—¿Palitroche? Vamos a ver, vamos a ver si encuentro alguno —dijo el dependiente y sacó de un cajón un cepillo que entregó a Pita.

—¡Esto es un cepillo! —exclamó Pita muy enojada—, yo quiero un palitroche. ¡No intente engañar a una inocente niña!

—Pues no tenemos lo que necesitas, niña, lo siento mucho.

—Lo siento… lo siento… —salió murmurando Pita, verdaderamente contrariada.

—¡Ya sé! Lo más probable es que se trate de una enfermedad.

Vamos con el médico.

—Quiero ver al doctor. Es un caso grave —dijo Pita.

Como se trataba de un caso grave, la enfermera los hizo pasar inmediatamente.

—¿Qué te pasa? —le preguntó el médico.

—Estoy muy asustada, doctor. Creo que estoy enferma de un grave palitroche. ¿Es contagioso?

—Tú tienes más salud que todos nosotros juntos —le dijo el médico—. No te preocupes.

—Pero existe una enfermedad con ese nombre, ¿verdad? —preguntó ansiosamente Pita.

—No, pero aunque existiera tú no la atraparías jamás.

Pita, Tomás y Anita salieron de ahí bastante desconsolados. Iban con la cabeza baja, pensando que nunca encontrarían un palitroche.

De pronto, Pita gritó:

—¡Ten cuidado, Tomás, no pises ese animalito!

Los tres miraron hacia el suelo. El animalito era pequeño, con un par de alas verdes que brillaban como si fueran de metal.

—No es chapulín, ni grillo —dijo Tomás.

La cara de Pita se iluminó:

—¡Ya sé! ¡Es un palitroche! —gritó triunfante.

—¿Estás segura? —preguntó Tomás.

—¿Crees que no voy a conocer a un palitroche cuando lo veo? Como tú no has visto ninguno en tu vida, no sabes reconocerlos. ¡Mi querido palitroche! Ya sabía yo que al fin iba a encontrarte. Hemos recorrido toda la ciudad buscándote, y estabas casi casi debajo del zapato de Tomás. Ven, te llevaré a casa y viviremos felices.

Rayos y centellas

El físico R.J. Jenninson relató la siguiente experiencia: "Tomé el último vuelo de Washington a Nueva York. Era de noche y los pasajeros dormitaban. El avión se internó en una tormenta eléctrica. De pronto, una esfera brillante, como del tamaño de un balón de futbol, recorrió el pasillo del avión. Pasó muy cerca de mí. La bola irradiaba calor y era de color azul con blanco. Segundos después, desapareció por la parte trasera del avión. Sólo quedó un repugnante olor, como de azufre…"

Hay cientos de anécdotas parecidas:

Un señor, por ejemplo, vio una bola de fuego en su cocina; la bola tocó un recipiente con agua y eso bastó para que el agua hirviera durante varios minutos.

Muchas amas de casa también han visto bolas de fuego en sus cocinas.

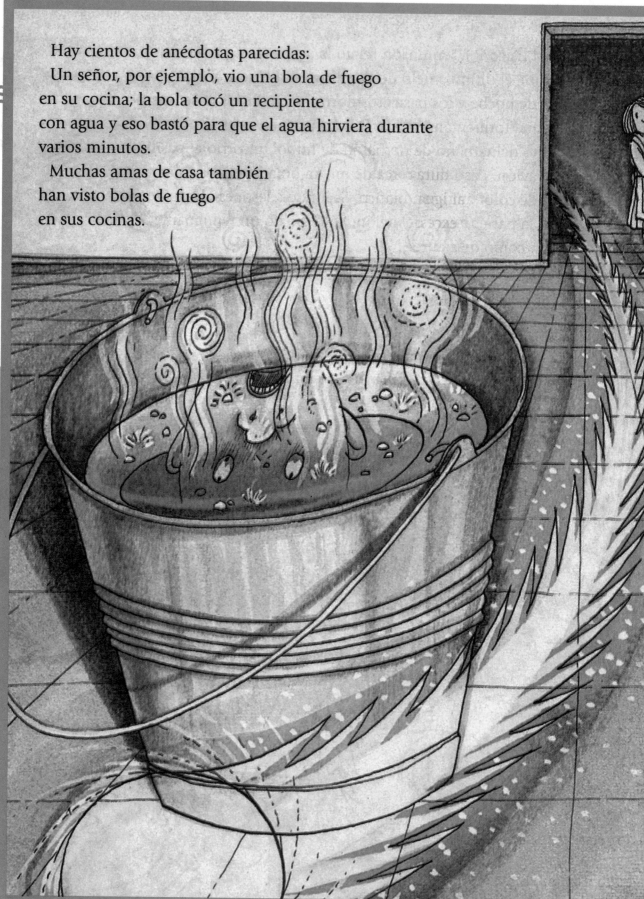

Estas bolas de fuego que ha visto la gente se llaman *centellas*.

R.J. Jenninson, fue el primero en explicar que las centellas no son bolas de fuego, sino esferas luminosas y móviles que se producen durante las tormentas y duran entre dos y tres segundos. Las centellas, al igual que los rayos, surgen por un exceso de carga eléctrica.

CENTELLA

Chispas y chispazos

Seguro que alguna vez, al quitarte la ropa, has visto que brincan chispas. Éstas son producto del exceso de carga eléctrica ocasionado por el roce de la ropa.

En las nubes sucede algo parecido: las fuertes corrientes de aire hacen que las gotas de agua choquen entre sí y produzcan un exceso de carga eléctrica. Este exceso provoca un gran chispazo o rayo.

Los rayos se producen entre las nubes, y de las nubes bajan a la tierra; pero los rayos también comienzan en la tierra y llegan hasta las nubes. La corriente eléctrica produce un calor muy intenso y gran parte de este calor se transforma en sonido. Por eso cuando vemos un rayo enseguida escuchamos un trueno.

Benjamín Franklin, un inventor
y político estadounidense, demostró
que los rayos son descargas eléctricas
y se preocupó por inventar algo
que protegiese de los rayos a la gente.
Así creó el pararrayos.

Casi todos los pararrayos tienen
forma de punta, pues está demostrado
que las cargas eléctricas siempre
se acumulan en las puntas. (Las torres
de transmisión de energía eléctrica
tienen forma de punta, pero están
protegidas por otro tipo
de pararrayos: un cable sin corriente
eléctrica que une la torre
con la tierra.)

Si te sorprende una tormenta
en el monte, no te refugies bajo
un árbol terminado en punta.
Las personas también tenemos forma
de punta y podemos atraer los rayos.
Por eso, si estás al descubierto, lo mejor
será que te acuestes en el suelo.
Y quién sabe, a lo mejor tienes
la suerte de ver una centella.

58

Lío de perros, gatos y ratones

Personajes

El rey

Perro Nerón

Perro Napoleón

Asamblea de perros

Gato ladrón

Gato Garabato

Asamblea de gatos

Ratón ladrón

Ratón Pérez

Asamblea de ratones

Texto de Mireya Cueto

Aparece en la escena el rey con un papel desenrollado y hace como que lee. Entran el perro Nerón y el perro Napoleón y se quedan escuchando.

Rey: *(Pomposo.)* Yo, el rey, ordeno
   que todos los perros
   del mundo tengan derecho:
   a ir de viaje con sus amos,
   a participar en carreras y concursos,
   a dormir en cojines,
   a comer en plato,
   a jugar con pelotas,
   a que los bañen, los cepillen y
   a que los traten con cariño.

Deja de leer y entrega el papel al perro Nerón.

Rey: Hago entrega de este
   importante documento
   a los perros para que sus
   derechos sean respetados.

Sale solemnemente de escena. Los dos perros bailan de felicidad.

Nerón: Vayamos a la asamblea
   de los perros para dar la noticia.

Salen de escena.

Aparece la asamblea de perros.
Entran Nerón y Napoleón.

Nerón: *(Firme y feliz.)*
Compañeros perros: Es un
honor informarles que en este
papel están escritos nuestros
privilegios.

Varios perros: ¿Privilegios? ¿Qué
es eso? ¿Con qué se come?
¡Qué palabra más rara!

Nerón: Privilegios quiere decir…
ummmm *(Tose.)*… ¿Cómo les
diré?… pues esas cosas buenas a
las que *sólo nosotros* tenemos
derecho. ¿Entendieron?

La asamblea ladra que sí.

Napoleón: *(Decidido.)* Pero no
es ésta la hora para perder el
tiempo con palabras difíciles.
Es hora de pensar cómo
cuidaremos este importante
papel.

Perros: *(Dudosos.)* Guau…
guau… ¿Qué haremos?

Nerón: ¡Ya sé! Te nombro a ti, Napoleón, guardián de este documento. *(Entrega el rollo.)* No lo sueltes ni de día ni de noche.

Napoleón: *(Firme.)* Es un gran honor. *(Hace una reverencia.)*

Nerón: Se levanta la sesión.

Todos salen de escena entre alegres ladridos. Se queda Napoleón.

Napoleón: *(Tranquilo.)* Bueno, ya todos se fueron a sus casas. Tendré que estar con los ojos muy abiertos… aunque… *(Bosteza.)*… tengo muchísimo sueño… *(Bosteza.)*… no creo que nadie venga por aquí… *(Bosteza.)*… me está ganando el sueño… pondré el papel debajo de mi brazo, aquí, bien escondido, y me echaré un ratito.

Se echa y ronca a más y mejor.

Entra el gato ladrón.

Gato ladrón: *(Canta.)*
 Tengo una novia ingrata
 es una blanca gata
 que no me da la pata.
 (Ve al perro.) ¿Y este perro?
 ¿Qué hace por aquí?
 Menos mal que
 está roncando.
 (Ronquido del perro.
 El gato se asusta.
 Vuelve a acercarse con
 cuidado.) Tiene un

papel enrollado debajo del
brazo… voy a tratar de sacárselo
con mucho cuidadito…
(Se lo quita, lo desenrolla y lee.)
"Yo, el rey…" *(Sigue leyendo*
con los ojos, está enojado.) ¡Con
que ésas tenemos! ¡Todos los
derechos para los perros! ¿Y a
nosotros, qué? Es como para
ponerse verde de envidia. Voy
 a llevar este importante
 papel a la
 asamblea de
 los gatos. *(Sale.)*

El perro despierta y sale corriendo. Entra asamblea de los gatos. Muchos maullidos. Aparece el gato ladrón con el papel enrollado.

Gato ladrón: *(Sofocado.)* ¡Compañeros gatos! En este documento que me acabo de robar está escrita una gran injusticia. El rey concede todos los derechos a los perros… y a nosotros… ¡nada!

Gato Garabato: ¡No puede ser! Nosotros… que somos tan guapos, tan distinguidos y elegantes… que adornamos las casas y somos tan limpios… nos dejan sin derechos.

Maullidos furiosos de toda la asamblea.

Lío de perros, gatos y ratones

Gato ladrón: La solución es esconder este papel para que así los perros no puedan probar sus derechos.

Asamblea de gatos: ¡Sí… sí…! ¡Aprobado!

Gato ladrón: Lo esconderemos debajo de ese montón de basura. *(Esconde el papel.)* Ya quedó bien escondido. Vámonos.

La asamblea de gatos sale de escena.

Entra un ratón volteando
de un lado a otro.

Ratón ladrón: Iiiii… iiiii…
Los gatos creyeron que nadie
los veía. ¡Qué tontos!
Y yo, bien escondidito
en mi agujerito y ni los
bigotitos me vieron…

(Se acerca al montón de basura.)
Voy a ver qué escondieron ahí…
Jijijiji… Es un rollo de papel.
(Lo saca y lo desenrolla.) Jijiji…
¿qué dirá? *(Lee para sí.)*
Dice cosas muy importantes…
Jijiji… llevaré este papel
a la asamblea de ratones.

Sale corriendo.

Lío de perros, gatos y ratones

Entra la asamblea de los ratones y luego entra corriendo el ratón con el rollo de papel.

Ratón ladrón: *(Firme.)* ¡Honorabilísima asamblea de honorables ratones! Acabo de encontrarme este importantísimo papel donde se les dan "todos los derechos" a los perros. Pude ver cómo un gato lo escondió en la basura y creo que nosotros debemos guardarlo. Así nos respetarán tanto los perros como los gatos.

Asamblea de ratones: ¡Claro! ¡Claro! ¡Claro!

Ratón ladrón: Pensándolo bien, ¿qué tal si nos comemos el papel? Así nadie nos lo robará.

Todos los ratones hacen como que roen el papel hasta que desaparece, y salen de la escena.

Entran Nerón y Napoleón.

Nerón: Napoleón, vengo
por el documento que te dimos
a guardar.

Napoleón: *(Abochornado.)*
Te confieso, Nerón, que me
dormí y me lo robó un gato.
Cuando me di cuenta iba muy
lejos y lo perdí de vista.

Nerón: Vamos a la asamblea
de los gatos.

Salen.

Entra la asamblea de los gatos,
y luego Nerón y Napoleón.

Napoleón: *(Furioso.)* ¡Gatos
ladrones! ¡Devuelvan el
documento que me robaron!

Gato ladrón: La triste verdad
es que lo escondimos debajo
de un montón de basura
y ha desaparecido. Seguramente
fueron los ratones. Vamos a la
asamblea de los ratones.

Salen de escena el perro Napoleón
y toda la asamblea de gatos.
Aparece la asamblea de los
ratones y entran corriendo
Napoleón y el gato ladrón.

Gato ladrón: ¡Ratones ladrones!
¿Dónde está el documento
que se robaron?

Ratón Pérez: Para que lo sepan:
nos lo comimos. Así nos
respetarán tanto los perros
como los gatos.

Gato ladrón: ¡Qué respeto ni qué nada! ¡Ratones ridículos! De hoy en adelante, ¡cuídense!, porque de ustedes no dejaremos ni la cola.

Napoleón: *(Furioso.)* Y ustedes, gatos, vayan con cuidado, porque siempre les correremos detrás y no los dejaremos en paz por ladrones y entrometidos.

El gato corretea al ratón, el perro corretea al gato dando vueltas por la escena entre chillidos, maullidos y ladridos.

Perro, gato, ratón: Guau… guau… miau… miau… iiiiii… iiii…

Voz de adentro: Este cuento ya se volvió un lío, ¿verdad? Pero al menos hemos podido saber por qué los perros corretean a los gatos y los gatos se comen a los ratones.

Telón.

Entrevista con el Capitán Garfio

Como ustedes saben, el Capitán Garfio ha sido el villano de muchos libros e historietas de piratería, pero nunca hemos sabido en qué circunstancias perdió un ojo, una pierna y una mano. Vamos a entrevistarlo y a preguntarle cómo ocurrieron semejantes desventuras.

Entrevista con el Capitán Garfio

Entrevistador:

Capitán Garfio, hace mucho tiempo hemos querido entrevistarlo; todos aquí sabemos de sus peripecias y aventuras, y nos gustaría que personalmente nos contara cómo perdió un ojo, una pierna y una mano. ¿Todo ocurrió durante la misma aventura? Junto a nosotros se encuentra su tripulación, que sin duda fue testigo presencial de tan tremendos hechos y quizá pueda abundar en detalles. ¿Qué perdió usted primero y en dónde?

Capitán Garfio:

Primero perdí el ojo, en un encuentro con el capitán de la nave *Amazonas*, que venía de Brasil cargada de oro. Antes de rendirse, el muy pillo me empujó contra el timón. Entonces me pegué en la cara y…

Voz de la asamblea:

¡No, no! Acuérdate que un día amaneciste
con un ojo hinchado, y como no te dejaste curar se te infectó.
¡Cuando llegamos a tierra ya no pudieron
salvarte el ojo!

Capitán Garfio:

Bueno, es que nunca pensé que un ojo
fuera tan delicado.

Voz de la asamblea:

Además, cuando abordamos el *Amazonas*,
no traía nada y nos hicieron prisioneros.

Capitán Garfio:

Cierto. En fin, no recuerden
cosas tristes.

Entrevistador:

Y la mano, ¿en qué
aventura la perdió?

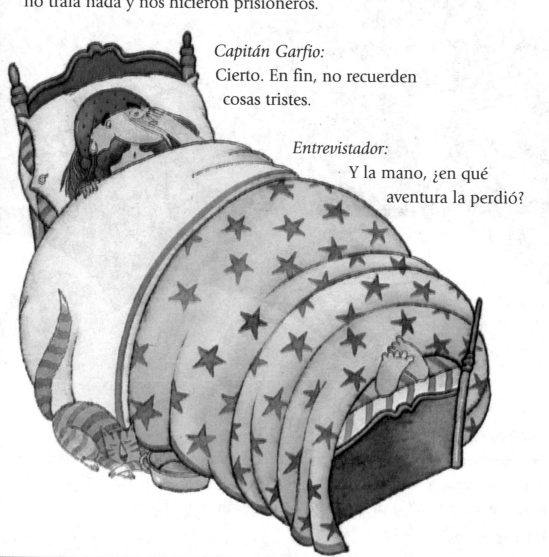

Capitán Garfio:

Cuando la tripulación del *Amazonas* nos hizo prisioneros,
yo urdí un plan para escaparnos; pero nos descubrieron y
tuvimos que meternos a la selva. Allí nos encontramos con
un grupo de bandoleros que nos atacaron con pistolas y sables.
Para librarnos de ellos tuvimos que atravesar un pantano
lleno de cocodrilos y uno de esos feroces animales me atacó.
Yo me defendí, y cuando estaba a punto de matarlo, el infame
reptil cerró su hocico y me arrancó la mano de cuajo.

Entrevista con el Capitán Garfio

Voz de la asamblea:
¡Mentira! ¡Mentira! Acuérdate que te resbalaste
cuando escapábamos y la puerta del calabozo
te rompió la mano.

Capitán Garfio:
¡Malagradecidos! ¡Si no me arriesgo
a detener la puerta aún estarían
prisioneros! ¡No me van a negar
que fue una gran acción!

Voz de la asamblea:
¿De quién? ¿Tuya o de nosotros, que tuvimos
que levantar la puerta para sacarte?

Entrevistador:
Bueno, capitán, pero la pierna,
¿sí la perdió en batalla, verdad?

Capitán Garfio:

¡Por supuesto! En otra ocasión, después de atacar
al carguero *Gran Capitán*, yo di la orden de abordaje.
Comenzó el ataque y pronto ganamos la pelea,
pero el barco comenzó a hundirse. Recogí el botín,
tomé una soga y salté para regresar a mi barco. Entonces…

Voz de la asamblea:

¡No, no! Acuérdate, el *Gran Capitán* era muy veloz
y se nos escapó. Como estabas tan enojado,
te fuiste a tu camarote, y al bajar, resbalaste
por las escaleras y te rompiste la pierna.

Capitán Garfio:

¡No me recuerden esa desgracia! Por poquito
y nos quedamos con el *Gran Capitán…*,
fue cuestión de mala suerte ¿Y mi pierna?
Eso no fue mala suerte, sino culpa del enfermero
ignorante, que en lugar de curarme me serruchó
el hueso. ¡Pero eso sí, me aguanté como los valientes
y no me quejé ni una sola vez!

Entrevistador:

Muchas gracias Capitán Garfio, ya conocíamos
sus aventuras y su gran valor. Ahora tenemos más detalles
de su vida y lo felicitamos, pues aun después de tantos
accidentes usted ha seguido con sus piraterías.

Enseguida se escucharon aplausos generales,
risas de algunos y abucheos de otros.

80

El escuintle *Rafael Heliodoro Valle*

Es un perro pequeño, originario de México. Su extraño aspecto se debe a que es un perro pelón. Tiene la piel de un color negro pizarra, parecida a la del elefante, y sólo en la punta de su diminuto rabo tiene una mota de pelo áspero. Sus orejas y sus patas son cortas.

Los antiguos mexicanos lo apreciaban porque, como la mayoría de los perros, era amigo del hombre, muy inteligente y doméstico. También lo consideraban un alimento sabroso.

En las tumbas indígenas, descubiertas en exploraciones arqueológicas, hemos aprendido que a los caciques y a los guerreros los sepultaban junto con joyas, armas e instrumentos de trabajo. Pero a veces también los enterraban con un escuintle. Esto lo hacían porque, según la mitología azteca, el perro acompañaría y serviría de guía al hombre en su camino al otro mundo, al Mictlán, o Tierra de la Muerte.

Actualmente sobreviven pocos ejemplares del escuintle. La especie se está extinguiendo por falta de protección.

El escuintle

Las canicas

El papá de mi amigo Hugo es ingeniero y trabaja
en una fábrica de canicas. El jueves pasado nos invitó
a visitarla. Él dice que el vidrio es muy importante
porque se utiliza para muchas cosas, por ejemplo
para hacer vasos, ventanas y focos.

También las canicas son de vidrio.

La arena que se convirtió en vidrio

Al entrar a la fábrica nos fijamos en unos montes de arena que lanzaban destellos con el sol. "Esto es arena sílica —nos explicó el papá de Hugo—; se trata de un material muy abundante y es el ingrediente principal para hacer vidrio. También se utiliza plomo, boro, aluminio y sodio".

Caliente, caliente...

Donde están las máquinas hace mucho calor.
Allí nos explicaron que los ingredientes para hacer vidrio
se mezclan y luego se meten en unos hornos que alcanzan
una temperatura 15 veces mayor que la del agua cuando
hierve. ¡Con razón nos estábamos achicharrando!

Con el calor la mezcla se funde y forma un líquido
espeso. Hay que esperar de tres a cinco horas
para darle forma.

¡Abracadabra! El truco está hecho

Después vimos cómo vaciaban ese líquido espeso,
que estaba al rojo vivo, en unas máquinas especiales,
y entonces empezaban a darle forma. El líquido salía
como un chorro de agua de la llave y había unas tijeras
que lo cortaban; los pedazos caían y llegaban a unos
rodillos con surcos que siempre daban vueltas.
Estos surcos le dan la forma esférica a las canicas.

Después, las canicas bajan por una rampa y llegan
hasta unos botes, donde lentamente se vuelven
más resistentes mientras se enfrían.

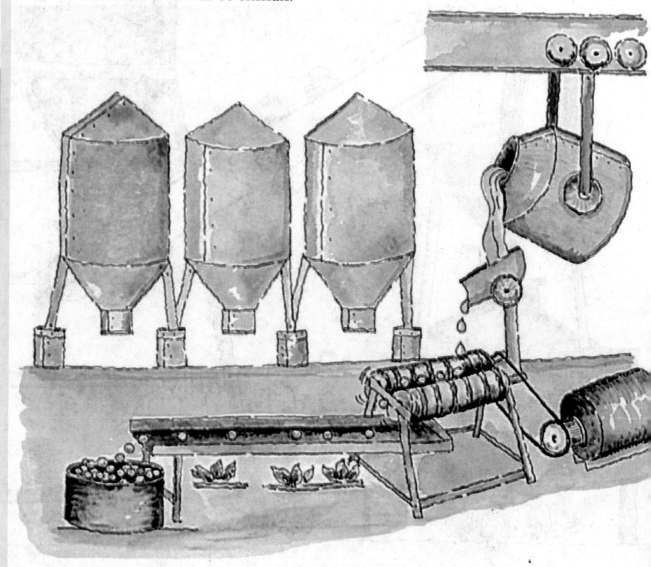

Canicas de colores

Sólo quedaba averiguar una cosa: ¿Cómo se les da color?
El papá de Hugo nos explicó que los colores se inyectan
desde que el vidrio sale en forma de chorro y la manera
de aplicarlo es diferente según el tipo de canica.
Un dato curioso: las botellas rotas y demás desperdicios
de vidrio se utilizan para hacer las transparentes
y brillantes *agüitas*.

La sopa de piedra

Hace muchos años, llegaron unos viajeros a una pequeña aldea de Rusia. Eran dos jóvenes y un hombre mayor llamado Iván. Estaban muy cansados y hambrientos, porque habían recorrido una gran distancia. Cuando vieron la aldea se pusieron muy contentos, y pensaron que al fin podrían comer y descansar de su largo camino.

—Compañeros —comentó Iván—, estoy seguro de que la gente de este pueblo compartirá su cena con nosotros si le decimos cuánto hemos caminado.

—¡Qué bueno que llegamos! Siento un hoyo en el estómago por el hambre que tengo —dijo Boris, uno de los jóvenes viajeros.

Iván se acercó a una casa y tocó la puerta.

—¿Quién es? —preguntó una voz de mujer.

—Somos tres viajeros camino a nuestros hogares. ¿Podrías compartir con nosotros un poco de tu comida, buena mujer?

—¿Comida? No, no puedo. No tengo nada que compartir con ustedes.

—Gracias —contestaron los tres hombres.

Iván se acercó a otra puerta.

—Buenas tardes —saludó Iván.

—¿Qué quieren? —preguntó sin cortesía una voz ronca.

—Quisiéramos algo de comer. Somos tres viajeros camino
a nuestra casa. Hemos recorrido un tramo larguísimo
y estamos hambrientos.

—No tengo nada que invitarles —contestó el hombre
desde la ventana.

La sopa de piedra

Iván tocó otra puerta, pero obtuvo el mismo resultado, nadie abrió y mucho menos los invitaron a cenar.

—¡Qué gente tan egoísta! —dijo Boris.

—No saben compartir —confirmó Mikolka, el otro viajero.

—¡Ya sé! —exclamó Iván—. Vamos a darles una lección a estas personas. ¡Les enseñaremos a hacer sopa de piedra!

—¡Qué buena idea! —dijeron sus compañeros.

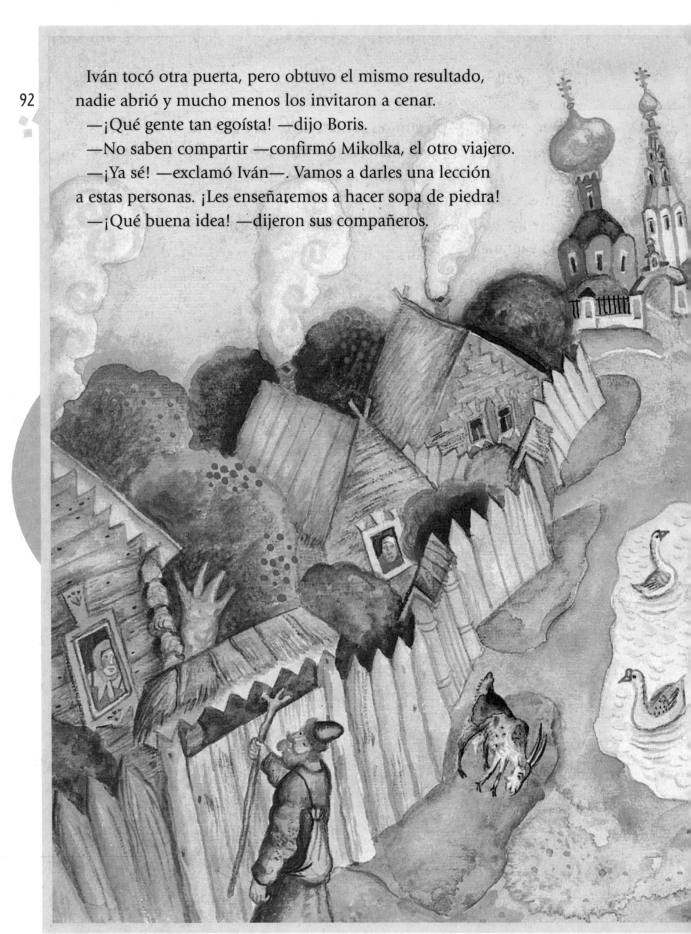

Algunos de los aldeanos miraban por las ventanas,
esperando que los extraños se fueran del lugar.

—¿Todavía no se van? —preguntó un viejo.

—¡Aquí no queremos vagabundos! —amenazó una mujer.

La sopa de piedra

Mientras tanto los viajeros prendieron una fogata en medio de la aldea. Sobre el fuego colocaron una olla que encontraron abandonada en un patio.

—Vamos al arroyo por agua —dijo Boris.

—Está bien. Y no olviden traer unas piedras para la sopa —gritó Iván para asegurarse que todos en el pueblo lo oyeran—; pero elijan unas sabrosas y redonditas.

Al poco rato los compañeros de Iván regresaron con unas piedras y las pusieron dentro de la olla.

—Esta sopa va a quedar muy rica —dijeron los tres.

Los aldeanos, que habían estado muy pendientes de todos los movimientos de los visitantes, salieron de sus casas y se acercaron al fuego.

—¿Qué están haciendo? —preguntó uno de ellos.

—¡Oh!, sólo un poco de sopa de piedra —contestó Boris.

—¿Sopa de piedra? Yo nunca había oído de esa sopa.

—¿Nunca ha probado la sopa de piedra? —dijo Iván—. ¡Ah! Entonces acompáñenos a cenar para que la pruebe. ¡Compañeros! Hoy tenemos un invitado para la cena. Debemos agregar otras piedras a la sopa.

—Muy bien —dijo Boris, y dirigiéndose al aldeano preguntó—: Disculpe, buen hombre, ¿de casualidad tendrá usted una cuchara? No estaría bien que moviéramos la sopa con una varita hoy que lo tenemos a usted como invitado.

—Sí, sí —dijo el aldeano—. Voy por ella.

—Es usted muy generoso —agradeció Mikolka.

La sopa de piedra

Una aldeana se acercó para ver qué pasaba. Una de sus amigas también salió de su casa y le preguntó:

—¿Qué hacen esos hombres?

—Dicen que preparan sopa de piedra.

—¿Y tomaron las piedras de nuestro arroyo?

—Sí, amiga, y te diré que esa sopa huele muy rico.

—Pues yo no huelo nada, qué raro.

—La verdad es que yo tengo mucha hambre.

El aldeano que había ido a buscar la cuchara regresó y además trajo su plato.

Boris comenzó a mover la sopa de piedra y luego la probó.

—¡Mmm, está muy rica! Sólo le falta un poco de cebolla.

Las dos amigas ya se habían acercado al fuego y una de ellas dijo que tenía una cebolla en su casa.

—¡Qué bien! —exclamó feliz Mikolka—. Así le daremos un mejor sabor a nuestra sopa. Traiga también su plato para que cene con nosotros.

La sopa de piedra

La mujer se echó a correr y enseguida volvió con varias cebollas. Boris las puso en la olla de la sopa y después de un rato la probó de nuevo.

—¡Qué rica está!, pero con unas zanahorias quedaría mejor.

—Yo tengo algunas en mi casa —dijo otro de los aldeanos—. Voy por ellas.

Casi al instante el aldeano regresó con un pequeño costal de zanahorias muy limpias. Boris las agregó a la sopa y después de un rato volvió a probarla.

—Ya está mejorando más el sabor. Ahora sería buen momento para agregarle unas papas.

Un hombre entró a su casa y regresó con una canasta de papas lavadas y peladas. Boris las agregó a la sopa.

—¡Ay, no puede ser! ¡Son demasiadas papas, ya no sabrá bien la sopa! —gritó Iván.

Los aldeanos se miraron decepcionados. "¡Qué pena, tan rica que estaba quedando!", pensaron.

—Todavía se puede arreglar —dijo Boris—. ¿Qué les parece si agregamos un poco de carne?

—Yo tengo en casa —dijo otro aldeano—. Voy por ella.

Por fin el aldeano trajo la carne y se la agregaron a la sopa.

Mientras la sopa terminaba de cocinarse, varias personas de la aldea se acercaron para preguntar a los viajeros si cualquiera podía hacer sopa de piedra.

—¡Claro que sí! —afirmaron Iván y sus compañeros—. Sólo se necesita agua, piedras y un poco de hambre.

Luego de un rato aquella sopa comenzó a oler realmente delicioso. Iván les dijo a los aldeanos:

–!Qué piedras más ricas hay en esta aldea! La sopa va a quedar muy sabrosa, ¿por qué no traen todos su plato y así compartimos esta nutritiva sopa?

Todos los aldeanos disfrutaron de una rica cena mientras Iván, Boris y Mikolka comían y contaban historias sobre los lugares lejanos que habían visitado.

La sopa de piedra

La historieta

¿Qué es la historieta?

La historieta es una secuencia de escenas con dibujos y textos que cuentan una historia.

Hay historietas
en forma de cuadernillos...

...otras son breves y se publican
en los periódicos.

¿Cómo se hace una historieta?

Primero es necesario imaginar y escribir una historia. ¿Recuerdas que en segundo grado escribiste cuentos y relatos? Para escribirlos seguiste un orden: decías qué había pasado primero, después y al final.
Para hacer una historieta, también se debe seguir el mismo orden, fíjate en el ejemplo:

Primero: Un niño va caminando por la calle. A lo lejos ve venir a un globero.

Después: Al globero se le escapa un globo que de repente estalla.

Al final: Del globo sale un pájaro que se va volando, mientras el niño lo mira irse.

Cuando ya tenemos una historia que contar,
comenzamos a dibujar a nuestros personajes.
Todavía no se trata de hacer las escenas completas,
sino de dibujar a los personajes en diferentes actitudes,
con distintas expresiones y realizando diferentes acciones.
De esta forma, los *caracterizamos*, es decir, decidimos
cómo son y cómo se comportan.

alegre

triste

enojado

asustado

También hay que dibujar los movimientos de nuestros personajes, por ejemplo, cómo se sientan, corren, bailan, caminan o brincan.

En las historietas los personajes platican, gritan, sueñan, cantan y piensan. Para indicar estas acciones se usan los *globos*, que son pequeños espacios donde se escribe o se dibuja lo que dicen o imaginan los personajes. Hay distintos tipos de globos, unos indican que el personaje habla, otros que sueña, etcétera.

teniendo una idea

cantando

ablando

pensando

gritando

La historieta

En las historietas se utilizan también las *onomatopeyas*, es decir, palabras que representan sonidos, por ejemplo, ¡cuas!, ¡pum!, ¡zas!

Los dibujantes emplean otros recursos para que las historietas sean claras y todos las entiendan. Usan líneas para indicar la dirección y la rapidez de los movimientos, o nubecitas de polvo para indicar que alguien salió corriendo muy rápido.

Ahora ya sabes con qué elementos se hace una historieta. Úsalos para inventar la que tú quieras. Recuerda que debe estar formada por varias escenas. Puedes usar globos con texto o sólo ilustraciones.

Sabías que...

Hace más de 100 años, en Estados Unidos, los editores de los periódicos decidieron poner *tiras cómicas* en los suplementos dominicales para diversión de los lectores (las tiras cómicas son historietas cortas, de tres o cinco escenas).

Se considera que la primera tira cómica fue *El chico amarillo*, que contaba las aventuras de un niño. Posteriormente fueron inventadas otras *tiras cómicas* como *Supermán* y *Fantomas*. Tuvieron tanto éxito que después las historietas se publicaron como un producto independiente del periódico.

Actualmente se han hecho películas basadas en las tiras cómicas e historietas, lo mismo con dibujos animados que con actores reales. ¿Has visto películas de Batman, Supermán o Tarzán? ¿Qué otras películas con personajes de historieta has visto? ¿Conoces a los personajes de la *Familia Burrón* o de *Mafalda*?

El chico amarillo

Fantomas

Mafalda

Supermán

El traje del rey

Personajes

El rey

Mayordomo

Sastre

Tejedor

Hilandera

Pastor

Texto de Mireya Cueto

Primer acto

*Al abrirse el telón está el rey
en su cama.*

Rey: *(Desde su cama toca
una campana.)*
  Al despertar abro un ojo
  para ver al sol salir
  y llamo a mi mayordomo,
  el que me ayuda a vestir.

Mayordomo: *(Entrando.)*
  ¿Qué desea su majestad?

Rey: ¡Mi traje, mi traje nuevo!

Mayordomo: *(Preocupado.)*
  En el ropero no está.
  Voy a buscarlo, ¡ya vuelvo!
  (Sale corriendo.)

Rey: *(Al público.)*
  Vuela el pobre mayordomo,
  en busca del sastre sale,
  sin poder entender cómo
  no pudo acabar el traje.

*Se cierra telón para cambio
de escenografía*

Segundo acto

Al abrirse el telón se observan tres casas de una ciudad: la casa del sastre, la del tejedor y la de la hilandera.

Mayordomo: *(Tocando a la puerta del sastre.)*
   ¡Abre la puerta te digo,
   el traje vengo a buscar!

Sastre: *(Asomándose a la puerta.)*
   El tejedor nunca vino,
   ¿qué tela podía cortar?
   (Se mete a su casa.)

*El mayordomo corre a la casa
del tejedor.*

Mayordomo: *(Tocando
a la puerta.)*
   Óyeme bien, tejedor,
   dame la tela del traje,
   cuanto más pronto, mejor,
   y pueda coserla el sastre.

Tejedor: *(Asomándose
por la puerta.)*
   El telar está parado;
   no puedo tejer la nada.
   La hilandera no ha llegado
   con su canasto de lana.
   (Se mete a la casa.)

*El mayordomo corre a la casa
de la hilandera.*

Mayordomo: *(Tocando
a la puerta.)*
  Voy corriendo, voy que vuelo
  a casa de la hilandera.
  Dame la lana, te ruego,
  hilanderita, sé buena,
  y trabaje el tejedor.

Hilandera: *(Asomándose
a la puerta.)*
  No puedo hilar en mi rueca,
  ¡es la culpa del pastor!
  Ve a buscarlo al campo, ¡vuela!
  (Dirigiéndose al público.)

  Yo aquí mismo me desmayo…
  *(Se desmaya. La hilandera sale
  de escena.)*

Tercer acto

*Al abrirse el telón
el pastor aparece tocando la flauta.
A su lado un borrego.*

Hilandera:
¡Qué feliz y qué contento
tocando la flauta te hallo!
¡La lana quiero al momento!

Pastor: *(Tranquilo.)*
Trasquilaré las ovejas
en menos que canta un gallo,
y ya no quiero más quejas
en lo que falta del año.

*Hace como que trasquila
al borrego y entrega un canasto
de lana a la hilandera.*

Hilandera: *(Toma el canasto.)*
Dio su lana el borreguito,
haga cada quien su parte
en este traje tan lindo
con su saber y su arte.
(Sale de escena.)

*Se cierra el telón para el cambio
de escenografía.*

El traje del rey

Cuarto acto

Al abrirse el telón aparece la misma escenografía del segundo acto. Mayordomo desmayado.

Hilandera: *(Canta y hace como que hila frente a su casa.)*
  A la vuelta y vuelta,
  índice y pulgar,
  a la rueda, rueda,
  la lana han de hilar.
  En el malacate
  que gira y que gira
  se enreda al instante
  la hebra torcida.

La hilandera corre con las madejas de lana a casa del tejedor, le entrega las madejas y se va.

El tejedor hace como que teje frente a su casa.

El tejedor corre con la tela a casa del sastre. Toca. Sale el sastre y recibe la tela. El tejedor se va.

Tejedor: *(Cantando.)*
  Tris, tres, tras,
  trabaja en el telar.
  Tris, piso el pedal
  tres, paso la hebra
  con mi lanzadera.
  Tras, tres, tris,
  no hay más que pedir:
  bajar y subir.
  Con hebras de lana
  se teje la trama.

Sastre: *(Cantando, hace como que mide el traje en una mesa frente a su casa.)*
　Medir, medir y medir
　a lo ancho y a lo largo.
　(Hace como que corta.)
　Cortar, cortar y cortar
　con muchísimo cuidado.
　(Hace como que cose.)
　Coser, coser y coser
　derechito y no de lado.

El sastre va con el traje adonde está desmayado el mayordomo y lo sacude.

Sastre:
　Vuelve ya de tu desmayo,
　no te vayas a morir.
　Toma el traje terminado
　y al rey vete a vestir.

El mayordomo se levanta. Toma el traje. El sastre se mete en su casa.

Mayordomo: *(Muy contento se dirige al público.)*
　¡Bien al fin todo ha salido!
　Sólo una cosa quisiera:
　encontrar al rey dormido
　y no convertido en fiera.

Se cierra el telón.

Quinto acto

Al abrirse el telón aparece la escenografía del primer acto. El rey está dormido en su cama. El mayordomo entra y se acerca al rey con el traje en la mano.

Mayordomo: *(Muy amable.)*
Despierte, su majestad,
y mire su lindo traje.

Rey: *(Se levanta muy alegre.)*
¡No es posible, no es verdad
que tan pronto se trabaje!
Está realmente precioso.
Dime ahora, ¿quién lo hizo?

Mayordomo:
Muchas manos, si es curioso.

Rey:
Llama a todos, te lo pido.

El traje del rey

121

Mayordomo: *(Llamando.)*
¡Venga el sastre, gran señor
de la aguja y las tijeras!

(Entra el sastre.)
Llegue luego el tejedor,
que sabe de lanzaderas.

Entra el tejedor e inmediatamente
después la hilandera.

Rey:
Es la reina de la rueca
nuestra hilandera, señores.

(Entra el pastor con un borrego.)
Y el de la flauta que llega,
el mejor de los pastores.

122

Aparecen el sastre, el tejedor,
la hilandera, el pastor y el borrego.
Todos cantan y bailan.

Todos:

Ésta es la fiesta, la fiesta
de los buenos artesanos,
enseñamos al que quiera
porque juntos trabajamos.

Telón.

El traje del rey

Papel maché

Con papel maché puedes modelar todo tipo de figuras
y decorarlas. El papel maché se hace con papel periódico,
endurecido con engrudo o con pegamento blanco
diluido en agua.

¿Qué se necesita para hacer las figuras?

Si quieres modelar una figura plana —como una estrella,
una luna o una flor—, dibújala primero sobre un cartón
y luego recórtala.

Si prefieres hacer una figura con volumen —por ejemplo,
una alcancía, una piñata o una máscara—, consigue globos
de varios tamaños para que sirvan de base.

También puedes modelar portalápices, servilleteros
o tubos para rellenar con dulces. En este caso
son muy útiles los tubos de cartón
que sobran del papel sanitario
y las latas vacías.

Cómo hacer un portalápices

En general, las instrucciones que siguen también sirven
para hacer figuras planas sobre un cartón o figuras
con volumen empleando globos.

Materiales

Papel periódico
Engrudo
Pegamento blanco
Pinturas de agua (de color blanco
y de los colores que te gusten)
Barniz transparente para madera
Un pedazo de cartón
Tubo de cartón o lata vacía
Pinceles
Tijeras

Procedimiento

1. Prepara el engrudo. Puedes hacerlo de dos maneras:

   Engrudo frío. Mezcla muy bien un poco de harina y agua fría con un tenedor; agrega más harina sin dejar de mezclar hasta que se forme una pasta espesa.

   Engrudo caliente. Mezcla harina y agua en una ollita y ponla al fuego; revuelve la mezcla mientras se calienta hasta que espese y se forme una pasta. (Si haces engrudo caliente, pide ayuda a un adulto.)

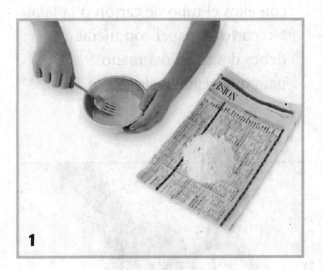

1

1a

2. Si usas el tubo de papel sanitario, recorta una base de cartón
   para tapar uno de los extremos del tubo.

3. Une con pegamento blanco la base
   al extremo del tubo.

4. Corta trozos de papel periódico,
   úntales engrudo o pegamento blanco
   diluido en agua y ve cubriendo
   con ellos el tubo de cartón o la lata.
   No cortes el papel con tijeras,
   debes desgarrarlo a mano
   para que pegue mejor.

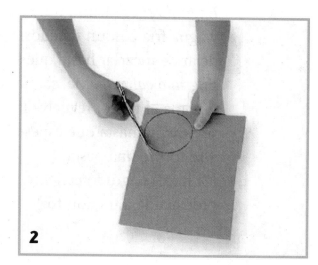

2

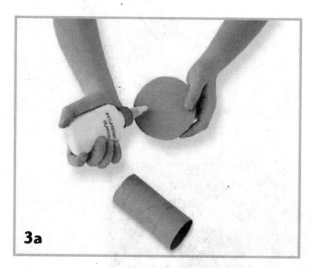

3a

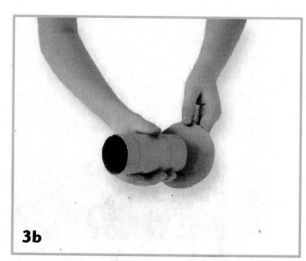

3b

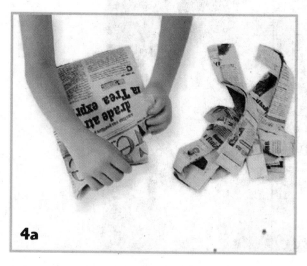

4a

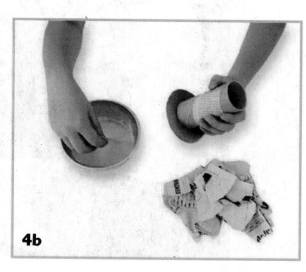

4b

5. Coloca dos o tres capas de papel y deja que sequen. Posteriormente aplica pintura blanca; cuando seque, podrás decorar tu portalápices con pintura de colores.

6. También puedes decorar tu figura con recortes de papel o tela, estambre o material de desecho como botones o corcho; úntales engrudo y ponlos sobre la figura.

7. Por último, barniza tu portalápices. Así será más resistente y quedará protegido del polvo.

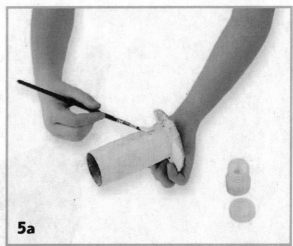

5a

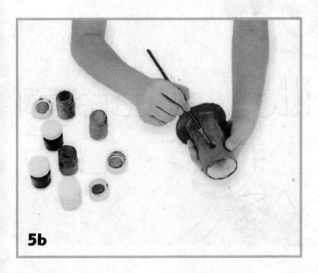

5b

6

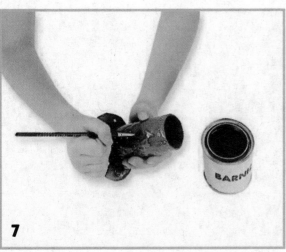

7

Cuando tengas un poco de práctica podrás hacer otras piezas. Puedes conservarlas o regalárselas a tus amigos y familiares.

Modela todas las figuras que quieras. ¡Sólo usa tu imaginación!

La carrera del grillo y el caracol

Personajes

Perico

Caracol

Grillo

Abeja

Mayate

Araña

Texto de Mireya Cueto

Al abrirse el telón, aparece en escena el caracol, que se mueve muy despacio. Un momento después entra el perico.

Perico: *(Alegre.)*
Salió un día don Caracol
a pasear sobre una col,
muy despacio con su casa
que por todas partes pasa.
(Sale de escena.)

Grillo: *(Parlanchín.)*
Buenos días, mi buen amigo,
te invito a venir conmigo.
Iremos por la vereda
al paseo de la alameda,
y desde el árbol más alto
echaremos un gran salto
a la más bonita estrella,
y jugaremos con ella.

Caracol: *(Lento.)*
El paseo sí me gusta,
pero el camino me asusta.
Como yo no tengo patas,
no puedo saltar las matas.

Grillo:

No pienses en la distancia,
lo que importa es la constancia.
Yo me iré por la espesura
porque brinco a gran altura,
tú por el camino llano
y llegarás bueno y sano.

Caracol:

En tan cansada carrera,
¿tendré premio por la pena?

Grillo:

Si al árbol llegas primero
te regalaré un sombrero.

La carrera del grillo y el caracol

El caracol se coloca en un
extremo de la escena y empieza
a caminar muy despacito.
El grillo juega y brinca de un lado
para otro. Entra el perico,
con un altavoz en la mano,
como si fuera a narrar
un partido de futbol.

Perico: *(Narrando.)*
El caracol animoso
no le da al cuerpo reposo.
Se puso a jugar el grillo
sin preocuparse el muy pillo...

(Pasa saltando la araña
y el grillo la persigue
con una caña en la mano.)
Con un tallo hizo una caña
para pescar una araña...
(Pasa la abeja zumbando,
se detiene para saludar al grillo.)
Con la abeja platicó...

(Pasa el mayate y el grillo
lo saluda.)
Al mayate saludó.

El grillo sale de escena
y vuelve a entrar con una flautita.

La carrera del grillo y el caracol

Grillo:

Con esta paja dorada
hice una flauta entonada.

*El grillo toca su flautita y sale
de escena. Se mete entre el público,
haciendo travesuras. El caracol
mientras tanto, ha seguido caminando
muy despacio hacia su meta.*

Perico:

Y al grillo distraído
ya se le olvidó el camino.
Pasaron pronto las horas,
ya no está para demoras.
Entretanto el caracol,
caminando bajo el sol,
despacito y sin parar,
está casi por llegar.

Va apareciendo en escena el árbol
recortado justo frente al caracol.
El grillo se abre paso corriendo
entre el público hacia el teatrino.

Perico:

   El grillo muy apurado
   salta al monte, salta el vado.
   Ya perdió todo el aliento,
   quiere correr como el viento.

El caracol toca el árbol
y el grillo aparece en el extremo
de la escena.

Perico:

   El caracol ya llegó,
   atrás el grillo quedó.

El grillo toca el árbol,
sofocadísimo.

Perico:

Llega al fin muy despeinado
y el corazón agitado.

Caracol: *(Muy tranquilo.)*
Hace mucho que te espero
y por poco no lo creo.
¿De qué te sirven las zancas
si la meta tú no alcanzas?

Grillo: *(Razonable.)*

Tú el sombrero has merecido
por tu esfuerzo bien cumplido.
Los dos llegamos al punto,
y ahora yo pregunto:
¿de qué te sirvió vencer?
Muchas cosas hay que ver.
Yo preferí el camino
y tú el haberme vencido.
(Se dan la mano.)

Perico: *(Al público.)*

Con un verso y un jalón
que ya bajen el telón.

Telón.

La pintura mural prehispánica

A casi todos nos gusta pintar, porque así satisfacemos nuestra necesidad de comunicarnos por un medio distinto del lenguaje oral o escrito. Hay muchos tipos, formas y estilos de pintura, pero uno de los más antiguos es la pintura mural.

En nuestro país, la pintura mural tiene profundas raíces. Seguramente has visto que los muros de algunos edificios públicos y escuelas están decorados con pinturas. Las paredes de muchas iglesias construidas durante la época de la Colonia también fueron adornadas de este modo, y antes de la llegada de los conquistadores españoles, los habitantes del México antiguo decoraban sus construcciones importantes con escenas, personajes y símbolos. ¿Te gustaría conocer un poco sobre la pintura mural realizada en el México antiguo?

¿Qué pintaban en el México antiguo?

La pintura mural de ese tiempo cumplía una doble función:
servía para decorar las grandes construcciones, pero sobre todo
era una forma de conservar y transmitir ideas religiosas,
por ejemplo, el nacimiento o la vida de los dioses, aunque
también se usó para registrar momentos importantes
de la historia o para ilustrar costumbres
y ritos. En la pintura mural prehispánica
las figuras humanas generalmente
representan a gobernantes
y guerreros.

Los artistas de ese tiempo no pintaban paisajes, pero sí empleaban muchos símbolos que representaban elementos y seres naturales: corrientes de agua, semillas, conchas, frutas y flores. También pintaban animales; sobre todo jaguares, serpientes, cocodrilos, lagartos, búhos, águilas, guacamayas, quetzales, colibríes y mariposas.

Algunas de las pinturas murales más importantes del México antiguo están en Teotihuacan (Estado de México), Bonampak (Chiapas) y Cacaxtla (Tlaxcala).

¿Cómo pintaban?

Los artistas prehispánicos primero cubrían los muros
con una capa de cal mezclada con otros minerales para hacerla
resistente y para que los colores tuvieran una apariencia
luminosa. A esta capa se le llama *enlucido*. Pintaban cuando
el enlucido todavía estaba húmedo. Así conseguían que los
colores se fijaran mientras el enlucido se secaba. Para que
permaneciera húmedo y tuvieran más tiempo para pintar,
le ponían una capa de arcilla blanca que luego se pulía
con llanas de piedra.

Enseguida los artistas realizaban un dibujo preparatorio,
delineando con rojo las figuras que formarían parte del mural.

   Los colores se aplicaban por capas, que se pulían
para concentrarlos y dejar una superficie lisa y uniforme.
Generalmente se aplicaba primero una base de color rojo,
después se agregaban el amarillo, el ocre, el naranja
y, al final, el azul y el verde. Para terminar el mural,
los contornos de las figuras se redibujaban con color
rojo oscuro.

   Casi todos los colores se preparaban con pigmentos
minerales al momento de pintar el mural. Por ejemplo,
para el verde brillante se usaba malaquita, para el rojo oscuro
hematita y para las partes negras se usaba negro de carbón.

Pintura mural en Teotihuacan

En esta ciudad pueden verse grandes murales que muestran
personajes y elementos asociados con el agua y los cultivos.
Tláloc, el dios de la lluvia, aparece en muchas escenas
y protagoniza ceremonias religiosas relacionadas
con la tierra y la fertilidad.

Pintura mural en Bonampak

Los murales de Bonampak están pintados en tres cuartos
separados y en cada uno se narra un episodio de la
presentación de un niño ante los nobles mayas para que
fuera reconocido como pariente del señor de Yaxchilán.

 La batalla ritual que fue pintada en uno de los cuartos
es quizá el mural más famoso de Bonampak.
También existen fragmentos de antiguas pinturas en
Palenque (Chiapas), y en Cobá y Chichén Itzá (Yucatán).

La pintura mural prehispánica

Pintura mural en Cacaxtla

Los artistas que pintaron los muros de Cacaxtla tuvieron una gran influencia teotihuacana y maya. Plasmaron principalmente imágenes acuáticas y escenas relacionadas con el culto al dios Quetzalcóatl.

¿Te gustaría ver pinturas murales prehispánicas?

En nuestro país se localizan muchas zonas arqueológicas
que puedes visitar para observar pinturas murales del México
antiguo. En el mapa están señaladas algunas. Ojalá pronto
puedas visitarlas con tu familia o tus amigos.

1. Teotihuacan (Estado de México)
2. Cacaxtla (Tlaxcala)
3. Monte Albán (Oaxaca)
4. Palenque (Chiapas)
5. Bonampak (Chiapas)
6. Chichén Itzá (Yucatán)

Lección 16

El caballo de arena

n una casa junto al mar, en el pueblo de Saint Ives, vivía un escultor con su esposa y su bebé.

El artista trabajaba en su estudio, pero en los días soleados del verano le gustaba ir a la playa a modelar animales de arena.

Hacía perros y gatos, focas y delfines…

Pero más que nada, le gustaba hacer caballos, porque los caballos —decía— son los animales más bellos que existen.

El caballo de arena

Una mañana, al despertar, se encontró ante un cielo azul, un viento vivo y un mar picado, con crestas blancas en las olas.

—¡Mira! —exclamó su esposa— ¡Caballos blancos!

En algunos lugares, cuando el mar está agitado y las olas tienen crestas blancas, la gente las llama *caballos blancos*.

Y ahora el artista podía verlos a lo lejos, en la bahía, retozando y galopando, sacudiéndose la espuma blanca de las crines.

—Hoy haré un caballo —dijo.

Entonces fue a la playa, demarcó un espacio, dejó su sombrero en la arena y se puso a trabajar.

Primero trajo agua del mar y remojó la arena seca. Luego se puso a palmear y modelar la arena.

Poco a poco, el caballo empezó a tomar forma: los músculos y los cascos, la cabeza erguida y las crines ondulantes.

La playa comenzó a llenarse de gente.
Se paraban a admirar el caballo de arena.
Y tanto les gustaba que dejaban
dinero y las monedas tintineaban
en el sombrero del artista.

El caballo iba creciendo. Era un caballo al galope. Un caballo que galoparía para siempre, aunque tendido en la arena, fijo sobre uno de sus costados.

El escultor dedicó todo el día a su caballo, dando formas perfectas a los músculos de las piernas y el cuello, acentuando cada onda de sus crines.

El caballo de arena

Trabajó hasta la puesta del sol, cuando se sintió el frío en la playa. Entonces, las familias empezaron a irse, plegando sus sillas de tijera y sacudiéndose la arena.

El artista recogió las monedas de su sombrero y también partió.

Al quedarse solo, el caballo de arena comenzó a despertar. Estaba vivo, pero no podía moverse. Abrió su único ojo, pero sólo veía nubes. Con su único oído escuchó las gaviotas, el rugir y suspirar del mar. Y, mezclados con los estallidos de las olas, oyó suaves, casi imperceptibles relinchos.

El caballo de arena

Una gaviota se le posó en el lomo y picoteó
el aire con su pico filoso.

—Gaviota —preguntó el caballo de arena—,
¿qué son esos relinchos?

—Son los caballos blancos, allá en
la bahía —respondió la gaviota.

—¿Qué están haciendo?

—Brincan, caracolean y sacuden sus colas.

—¿A dónde van?

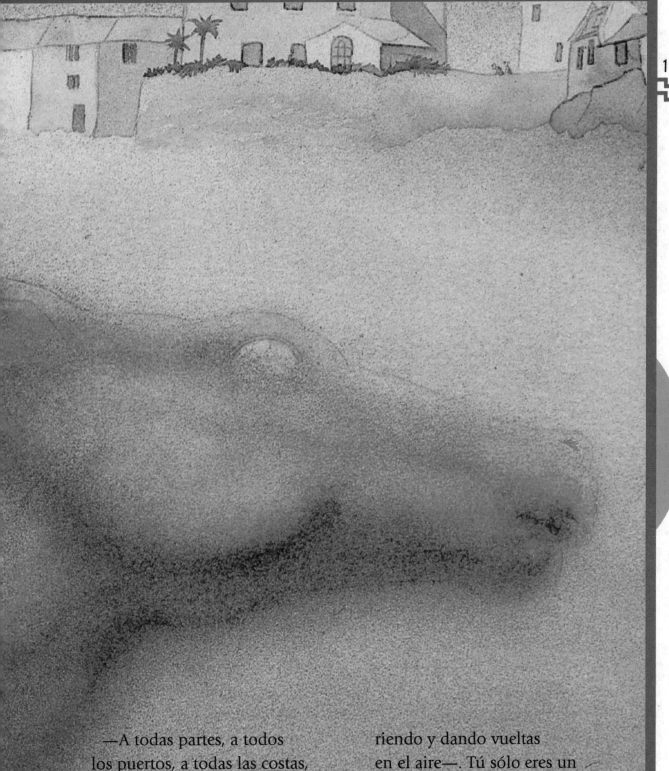

—A todas partes, a todos
los puertos, a todas las costas,
a todos los horizontes.

—¡Quiero ir con ellos!
—exclamó el caballo de arena.

—¿Tú? —se burló la gaviota,
riendo y dando vueltas
en el aire—. Tú sólo eres un
caballo de arena. Tú no puedes
ir con ellos.

Y todas las otras gaviotas se
unieron al coro de risas y burlas.

El caballo de arena

159

Entonces el caballo de arena trató de moverse.

Era un caballo al galope, pero estaba fijo en la playa. ¡No podía ir con ellos!

El cielo se fue oscureciendo. Las gaviotas se alejaron. El rugido del mar se hizo más fuerte.

Ahora el caballo oía mucho más cerca los relinchos.

—¡Ven con nosotros! —llamaban.

Una ola estalló sobre la playa, bañándolo de espuma.

—¡Ven con nosotros! —repetían.

Otra ola rompió muy cerca y empapó al caballo de arena.

—¡Ven con nosotros! —llamaban los caballos blancos— ¡Vamos al último faro, al final de la tierra, detrás del horizonte!

El caballo de arena

Y rompió una nueva ola, inundándolo, anegando su cabeza y sus crines.

—¡Ya voy! —gritó—. ¡Espérenme!

Rompió otra ola y el agua corrió entre espumas a su alrededor, llenando todos los huecos. El mar lo absorbía, lo arrancaba, lo deslizaba por la playa.

—¡Ya voy! ¡Ya voy! —gritaba.

Entonces llegó hasta la playa una ola enorme que se irguió, se encorvó y se desplomó sobre el caballo de arena, arrastrando sus crines, su cabeza, sus piernas y su cuerpo.

La ola gigantesca regresó mar adentro, llevándolo consigo.

El caballo de arena sentía que las olas lo levantaban y lo mantenían a flote. Estaba en medio de los caballos blancos.

Entonces, relinchó y sacudió las crines.

Sus cascos levantaron espuma en la superficie del mar.

—¡Ya puedo moverme! —gritó—. ¡Puedo galopar!

Y él también caracoleó, galopó y agitó su cola blanca.

A su alrededor, los caballos blancos se zambullían y brincaban sobre las olas.

—¡Vamos! —gritaban—. ¡A todos los puertos! ¡A todas las costas! ¡A todos los horizontes!

Se alejaron al galope, y el caballo de arena fue con ellos.

A la mañana siguiente, cuando el artista bajó a la playa,
se encontró con un grupo de gente que comentaba:

—¡Qué lástima! Todo ese trabajo barrido por el mar…

Pero el artista sonreía.

Él sabía a dónde había ido su caballo de arena.

Al escultor le gustaba modelar animales de arena.
En especial caballos.

Por eso creó un caballo de arena, tan hermoso
y perfecto que parecía vivo.

Tanto, que algo muy especial podía sucederle…

El caballo de arena

Las ruinas indias *José Martí*

¡**Q**ué hermosa era Tenochtitlan, la ciudad capital de los aztecas, cuando Cortés llegó a México! Era como una mañana todo el día, y la ciudad parecía siempre como en feria. Las calles eran de agua unas, y los alrededores sembrados de una gran arboleda. Por los canales andaban las canoas, tan veloces y diestras como si tuviesen entendimiento; y había tantas a veces que se podía andar sobre ellas como sobre la tierra firme.

En unas vendían frutas, y en otras
flores, y en otras jarros y tazas,
y demás cosas de la alfarería.
En los mercados hervía la gente,
saludándose, yendo de puesto
en puesto, celebrando al rey

o diciendo mal de él, curioseando
y vendiendo. Las casas eran de
adobe, que es ladrillo sin cocer,
o de calicanto, si el dueño era rico.

Las ruinas indias

Y en su pirámide de cinco
terrazas se levantaba por sobre
toda la ciudad, con sus cuarenta
templos menores a los pies,
el templo magno de Huitzilopochtli,
de ébano y jaspes, con mármol
como nubes y con cedros de olor,
sin apagar jamás, allá en el tope,
las llamas sagradas de sus
seiscientos braseros.

En las calles, abajo, la gente
iba y venía, en sus túnicas cortas
y sin mangas, blancas o de
colores, o blancas y bordadas,
y unos zapatos flojos, que eran
como sandalias de botín.

Lectura complementaria

Por una esquina salía un grupo de niños disparando con la cerbatana semillas de fruta, o tocando a compás en sus pitos de barro, de camino para la escuela, donde aprendían oficios de mano, baile y canto, con sus lecciones de lanza y flecha, y sus horas para la siembra y el cultivo: porque todo hombre ha de aprender a trabajar en el campo, a hacer las cosas con sus propias manos, y a defenderse.

Las ruinas indias

El chocolate

¿Has probado el chocolate?
Delicioso, ¿verdad?

Comer o tomar chocolate es de lo mejor,
porque tiene un sabor agradable y proporciona energía.
El chocolate que comemos en dulces, pasteles, postres
y bebidas se obtiene del árbol del cacao,
que se cultiva en lugares cálidos y húmedos
de África y América.
El árbol del cacao llega a medir seis
e incluso 10 metros de altura.
Su fruto es de color café amarillento,
de cáscara muy dura y por dentro
tiene una pulpa blanca, jugosa
y de sabor agridulce, con
alrededor de 40 semillas.

El chocolate

El origen del chocolate

En el México prehispánico, los mayas domesticaron la planta y los aztecas llevaron el fruto por toda Mesoamérica. Estos últimos lo llamaban *cacahoacetli*, y con las semillas preparaban la bebida llamada *chocolatl*. Pero el *chocolatl* o chocolate no se preparaba como el que tomamos ahora: no era dulce, sino amargo y picante, porque se condimentaba con chile, vainilla o harina de maíz, según el gusto de cada quien.

173

En esa época, la semilla del cacao también
se utilizaba como moneda. Se trataba, pues,
de un objeto valioso, y por ello sólo el
emperador y los nobles consumían *chocolatl*.
   Los conquistadores españoles
se sorprendieron cuando Moctezuma
les ofreció tan singular bebida y a su regreso
a España la llevaron consigo, aunque cambiaron
los condimentos y el modo de preparación.

El chocolate

El sabor dulce del chocolate

Durante la época de la Colonia, los españoles agregaron
azúcar a la bebida preparada con cacao, y así surgió
el exquisito sabor que hoy conocemos.

Poco a poco el chocolate se convirtió en la bebida
preferida de España, donde la gente inventaba recetas
cada vez más elaboradas, que incluían ingredientes
como la canela y el anís.

Cuando el chocolate comenzó a difundirse
en Europa, aparecieron nuevas formas
de prepararlo, agregándole a veces huevo y licor.

El chocolate con leche

En 1856, en Suiza, el señor Daniel Peter usó leche en vez de agua para preparar chocolate e inventó así un nuevo sabor que dio principio a la industria chocolatera.

En la actualidad podemos disfrutarlo en postres, licuados, dulces, pasteles, panes, bombones, budines, atole y muchas otras bebidas y alimentos. El chocolate es considerado una aportación de México al mundo, para placer de niños, jóvenes y ancianos.

Mi bisabuelo era francés

Un día que mi abuelita y yo nos quedamos solos en el rancho, ella me preguntó qué me gustaría ser de grande.

—Quiero ser detective —le respondí enseguida—. Sabes, abue, tengo una maleta con todo lo necesario. Una lupa, unos guantes, una linterna sorda (¿por qué será que los detectives llaman *sordas* a esas linternas?), una linterna de minero, un estuche de desarmadores y muchas cosas más.

Mi bisabuelo era francés

—Caray, cuántas cosas. Parece que estás muy bien preparado. ¿Qué te parece si comienzas por descubrir la historia de mi papá, tu bisabuelo?

—¿Tú no la sabes, abue?

—Pues más o menos. La verdad, él hablaba poco de su pasado y a mí no se me ocurrió preguntar nunca. Pero ahora que estoy vieja he sentido curiosidad. En el cuarto de los tiliches hay unos baúles que eran de él, pero no tengo las llaves y me da desconfianza el cerrajero del pueblo. ¿Por qué no subes y tratas de abrirlos? Pero ten cuidado, porque no hay luz y hay muchas telarañas. ¡Hace tanto que murió tu bisabuelo!

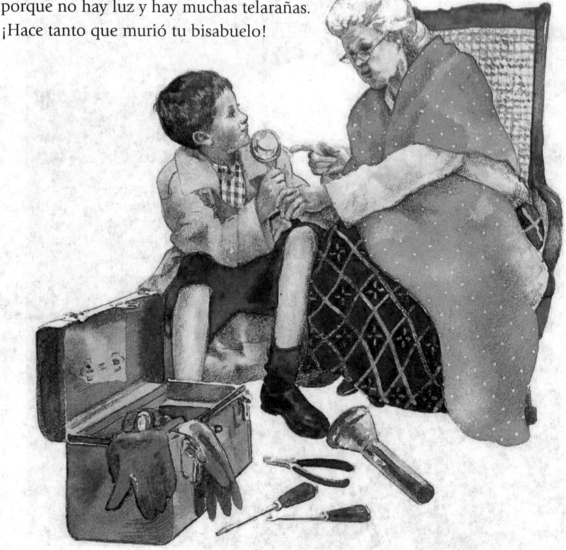

Esa misma tarde, con mi maletín de detective subí al cuarto de los tiliches. Al abrir la puerta… ¡Zas! ¡Que salta un ratón! (abue no me dijo que había ratones… pero los detectives no debemos tener miedo). Abrí el maletín y saqué la linterna sorda: ¡Las telarañas cubrían casi totalmente los baúles de mi bisabuelo!

Eran tres baúles y traté de abrir el más pequeño; la cerradura era una chapa antigua, de ésas que se abren con llaves grandotas y pesadas.

Me acordé de que en casa de mi abuelita casi todas las llaves eran antiguas; bajé y recogí todas las que encontré.

Como abuelita estaba dormida, entré a su cuarto y también saqué la llave de su ropero.

Mi bisabuelo era francés

Con el montón de llaves volví a subir al cuarto de los tiliches.
Pasó un buen rato y nada, no pude abrir el baúl. Desesperado
le di una patada... ¡Y de pronto saltó la chapa!

"¡Qué felicidad!", pensé. "Ahora sí que voy a descubrir
el secreto de mi bisabuelo". Pero el baúl sólo tenía algunas
fotos: unas señoras con vestidos largos, llenos de encajes
y holanes; unos niños con trajes pegados al cuerpo, unos carros
jalados por caballos. "¡Seguro que mi bisabuelo vivió
hace más de 100 años!", exclamé. Al voltear las fotos
vi que tenían algo escrito, pero no entendí nada y cansado
de tanto esfuerzo bajé a acostarme.

Aunque estaba triste no me desanimé y al día siguiente volví a subir. Traté de abrir otro baúl, pero no pude ni a patadas. Entonces, se me ocurrió usar mi lupa y examinar la chapa. Me di cuenta de que sólo estaba cerrada por un gancho; saqué el estuche de desarmadores de mi maleta y me puse la lámpara de minero en la cabeza. Con un desarmador levanté el gancho, jalé el pestillo y... ¡Zas! Se abrió la chapa.

En el baúl mi bisabuelo había guardado una pistola, un fusil, varias cajas con municiones... puras cosas de guerra.

Cuando le conté a abuelita lo que había encontrado en el segundo baúl se puso muy triste.

—A lo mejor —dijo mi abuelita— tu bisabuelo en su juventud hizo algo malo y por eso prefirió ocultar sus cosas.

Mi bisabuelo era francés

Mi abuelita se quedó pensando un rato y luego me propuso que abriéramos juntos el tercer baúl. Subimos los dos y empezamos a luchar con la cerradura. Después de varios intentos pude abrirla con mis desarmadores y del baúl salieron millones de polillas. Nos acercamos y casi nos vamos de espaldas cuando vimos un traje de general. Emocionados, comenzamos a sacar cosas y encontramos una cajita con medallas, otra con monedas antiguas y luego una carta dirigida al presidente Benito Juárez, en la que mi bisabuelo le pedía la nacionalidad mexicana, pues, aunque él había llegado a México como general del ejército francés en 1862, le gustó tanto nuestro país que ya no quiso regresar a Francia.

Abuelita lloraba de felicidad, porque mi bisabuelo, que había llegado con un ejército enemigo, prefirió ser mexicano. Yo la abracé y juntos comenzamos a sacar las cosas del baúl para ponerlas en la sala de la casa como recuerdo. Incluso mi bisabuelo se cambió el nombre, para llamarse Juan del Valle en vez de Jean La Vallée. ¡Caramba! ¡Y mi abuelita pensando que había hecho algo malo! Yo la besé y le dije: ¡mi bisabuelo fue un general francés que quiso ser mexicano!

Mi bisabuelo era francés

Reportaje imaginario

El Deportivo

Número XXXIV   7 de mayo de 2000

Entusiasta participación de los animales durante su primera Olimpiada

Delfino Morones • Esta semana asistimos a la Olimpiada de los Animales, que por primera vez se organizó en el mundo, gracias al entusiasmo de los participantes y de sus patrocinadores.

En esta Olimpiada compitieron los animales que se han distinguido por sus extraordinarias habilidades y desempeño en los siguientes deportes:

Carrera de velocidad

Salto

Natación

Gimnasia

Levantamiento de peso

Muchos han quedado sorprendidos con los resultados, pues, como suele decirse, se dejaron llevar por las apariencias (nadie pensó, por ejemplo, que la tortuga marina obtendría la medalla de bronce en natación). A continuación se ofrecen los resultados de cada una de las competencias realizadas.

Reportaje imaginario

Carrera de velocidad

Se organizaron dos tipos de carrera: una corta de 100 metros y otra larga de 4 000 metros. En ambas se contó con la participación de destacados corredores: gacela, chita africano, lince asiático, berrendo mexicano, jaguar, galgo, puma, caballo, caracal (o lince del desierto) y corzo inglés.

En la carrera de 100 metros el cuadro de medallas quedó de esta forma:

• Medalla de oro: chita africano (1a), que alcanzó una velocidad de 107 km/h.

- Medalla de plata: berrendo mexicano (2a), que alcanzó una velocidad de 97 km/h.
- Medalla de bronce: puma (3a), que alcanzó una velocidad de 95 km/h.

En la carrera de 4 000 metros las medallas quedaron repartidas así:
- Medalla de oro: caracal (1b), que alcanzó 87 km/h.
- Medalla de plata: gacela (2b), que alcanzó 72 km/h.
- Medalla de bronce: corzo inglés (3b), que alcanzó 69 km/h.

3

Salto

En la competencia se tomó en cuenta la distancia del salto en relación con el tamaño del participante. Por ejemplo, el serval mide 90 centímetros y saltó 900 centímetros (9 metros); es decir, el serval saltó el equivalente a 10 veces su propio tamaño.

Cada deportista pudo escoger su especialidad, pues no importaba si el salto era de altura o de longitud; lo importante era la distancia que alcanzara. Los participantes llamaron la atención sobre todo por su diferencia de tamaño. Veamos quiénes componen el grupo de competidores: canguro rojo

y canguro negro de Australia; tres auténticas razas de perros saltadores: pastor alemán, saluki y afgano; de las 40 clases de ranas saltadoras, entraron en la competencia la rana saltadora de África del Sur y la rana ardilla del Amazonas; por último se registraron el lémur africano, la ardilla americana y el impala.

Los ganadores fueron:
- Medalla de oro: rana saltadora de África del Sur (1), que saltó 20 veces su tamaño.
- Medalla de plata: impala (2), que saltó 10 veces su tamaño.
- Medalla de bronce: canguro rojo de Australia (3), que saltó seis veces su tamaño.

Natación

Se organizaron dos grupos de competidores para que todos tuvieran las mismas oportunidades de ganar.

Los animales acuáticos que deben salir a la superficie del agua para respirar se enfrentaron entre sí, formando el grupo A. Los animales que son capaces de respirar bajo el agua compitieron aparte; ellos formaron el grupo B.

En el primer grupo estuvieron la ballena azul, la ballena beluga, la orca, el narval, los delfines, los lobos marinos, las tortugas de mar, las focas, las morsas y los pingüinos.

Eran tantos los deportistas que deseaban competir en el segundo grupo que fue necesario realizar una etapa eliminatoria. Así, quienes finalmente compitieron en el grupo B

1a

3a

2a

fueron el pez espada, el pez sierra, el pez volador, el tiburón, el pez vela, el pez gato, el pez globo y el atún.

Ambas competencias ofrecieron al público momentos de gran emoción, pues la mayor parte de los contendientes nadaron casi a la misma velocidad. Finalmente, se obtuvieron los siguientes resultados:

Grupo A

- Medalla de oro: orca (1a), que nadó a 42 km/h.
- Medalla de plata: delfín común (2a), que nadó a 41 km/h.
- Medalla de bronce: tortuga marina (3a), que nadó a 40 km/h.

Grupo B

- Medalla de oro: pez vela (1b).
- Medalla de plata: atún (2b).
- Medalla de bronce: tiburón (3b).

1b

3b

2b

Gimnasia

Para muchos animales,
la gimnasia es una práctica
deportiva casi obligatoria, pero
los mejores gimnastas viven
en la selva, porque allí los
animales tienen la oportunidad
de ejercitarse constantemente
saltando de un árbol a otro.

La mayoría de los competidores
que participaron en esta
especialidad son del grupo
de los primates (conocidos
familiarmente como monos
o changos). He aquí sus
nombres: chimpancé africano,
tití de América Central, mono
dorado de la India, macaco,

2

gibón de manos blancas, mono araña, mandril, mono aullador de Guatemala, tamarín, macaco sileno y lémur de Madagascar.

Todos mostraron habilidades extraordinarias que dificultaron la decisión de los jueces, quienes, después de mucho meditarlo, decidieron entregar las medallas de la siguiente manera:

- Medalla de oro: macaco sileno (1).
- Medalla de plata: gibón de manos blancas (2).
- Medalla de bronce: chimpancé africano (3).

1

Levantamiento de peso
Esta competencia reunió
a los animales más fuertes
y tuvo como objetivo averiguar
quién podía soportar más peso y
recorrer con él a cuestas la mayor
distancia en el menor tiempo.
Compitieron el elefante de la
India, el gorila africano,
el orangután, el tigre de Bengala,
el oso polar, el oso grizzly, el oso
negro, el bisonte americano
y el yak de Nepal.

Contra todos los pronósticos, el tigre de Bengala resultó, además de un cazador eficaz, un eficiente transportista. Sorprendió también el elefante, por su rapidez y ritmo en el andar. Veamos el cuadro de medallas:

- Medalla de oro: elefante de la India (1).
- Medalla de plata: oso grizzly (2).
- Medalla de bronce: tigre de Bengala (3).

Felicitamos a todos los competidores por su participación.

Reportaje imaginario

La vuelta al mundo en 80 días

Fileas Fogg vivía en Londres y todos los días iba
al club *Reforma* para jugar cartas con sus amigos.
   Cierta vez, mientras jugaban, un amigo de Fileas
comentó que se había cometido un gran robo
en el Banco de Inglaterra. Se sospechaba de un ciudadano
respetable, que poco antes del robo había ido al banco
a retirar una buena suma de dinero; además, agregó
el amigo de Fileas, el banco ofrecía una atractiva
recompensa a quien capturara al ladrón.

Otro amigo comentó que para el ladrón sería muy fácil trasladarse a otro país y evadir así a la justicia, pues en ese momento, en pleno año de 1872, los transportes experimentaban adelantos impresionantes.

Fileas Fogg asintió absolutamente convencido y comentó que incluso se podía dar la vuelta al mundo en 80 días.

Ninguno de los asistentes le creyó. Entonces él aseguró que podía darle la vuelta al mundo en ese tiempo y apostó 20 mil libras. Todos aceptaron la apuesta y firmaron un convenio donde se establecía que Fileas Fogg debía partir esa misma tarde y estar de regreso en Londres el sábado 21 de diciembre, a las 8:45 de la noche.

En compañía de Paspartú, su asistente, Fileas Fogg comenzó el recorrido. Tomaron el tren rumbo a París, y de allí siguieron hasta el sur de Italia, donde se embarcaron en el vapor *Mongolia*. Cuando llegaron al canal de Suez, en Egipto, ya llevaban siete días de viaje.

En Suez, un detective, el señor Fix, esperaba a Fileas Fogg, porque sospechaba que este *respetable* ciudadano inglés era el ladrón del banco. Pero Fix no pudo confirmar nada y decidió embarcarse también en el *Mongolia* para no perder de vista a su sospechoso.

La vuelta al mundo en 80 días

El vapor *Mongolia* entró al canal y se preparó para
seguir directamente hasta la ciudad hindú de Bombay.

Durante el viaje Fix no logró avanzar gran cosa en sus
investigaciones, ya que Fileas Fogg casi no salía de su
camarote, y Paspartú, que ignoraba casi todo lo referente
a su patrón, no pudo responder a las insistentes preguntas
del detective sobre la vida y costumbres del señor Fogg.

El barco de vapor navegó por el canal de Suez, el Mar
Rojo y el Mar Arábigo, y después de 11 días de viaje,
en lugar de los 13 que Fileas Fogg había calculado,
llegó a Bombay. Así, pues, Fileas disponía de dos días más
por si ocurría algún imprevisto.

Apenas pusieron un pie en Bombay, Fileas y Paspartú fueron a la estación de trenes para salir rumbo a Calcuta. Fix había pedido una orden de arresto para detener a Fileas Fogg, pero la orden nunca llegó de Inglaterra mientras los tres personajes permanecieron en Bombay, y el detective no tuvo más remedio que seguir a su sospechoso y abordar también el tren a Calcuta.

Después de un día y medio de camino, el tren se detuvo a mitad de la selva y todos los pasajeros tuvieron que conseguir otro medio de transporte para llegar a la ciudad más cercana, que distaba unos 70 kilómetros.

Unos alquilaron carrozas, otros camellos, burros o caballos. Fileas Fogg consiguió un elefante. Sabía que era el animal más lento, pero también que con él podía atravesar sin problemas la espesa vegetación de la selva. Cuando Fileas y Paspartú ya se habían acostumbrado a los tumbos del elefante, oyeron a la distancia llantos y quejas. El rajá del lugar acababa de morir y, como era costumbre, un grupo de hindúes se disponían a cremarlo junto con su esposa, sólo que ella aún estaba viva.

Fileas Fogg no podía creerlo, y como tenía dos días de reserva, decidió usarlos para tratar de salvar a la joven esposa del rajá. Así, Fileas y Paspartú esperaron hasta la madrugada, y apenas los hindúes arrojaron a la muchacha al fuego, Paspartú la rescató y rápidamente se internaron en la selva con ella.

La joven, que se llamaba Auda, contó su historia y agradeció que la hubieran salvado de la muerte. Con ella como nueva acompañante, Fileas y Paspartú llegaron a Calcuta, donde el señor Fix los estaba esperando. Les había tomado cuatro días cruzar la India en lugar de tres, como había calculado Fileas. Además, ahora no sólo debían continuar su viaje sino encontrar a los tíos de Auda, que según ella vivían en Hong Kong.

Tampoco en Calcuta pudo Fix arrestar a Fileas Fogg, porque aún no le llegaba de Inglaterra la orden para detenerlo. Así, Fix vio al sospechoso y sus amigos embarcarse y decidió hacer lo mismo. La travesía fue mala. El viento y la lluvia retrasaron al navío, que al final, en lugar de 13, tardó 14 días en llegar al puerto de Hong Kong. Auda fue a buscar a sus tíos pero le comunicaron que se habían mudado a Holanda.

Fileas Fogg comprendió que no podía perder un minuto más y mandó a Paspartú a comprar tres boletos para viajar en el *Carvatis*, un gran buque que zarparía rumbo a San Francisco. Auda los acompañaría mientras no encontrara a sus parientes.

Fix, desesperado por verse impedido para detener
a Fileas, decidió emborrachar a Paspartú para hacerlos
perder el barco. Y así ocurrió. Cuando
Paspartú se despertó, el *Carvatis* ya
había partido. Sin embargo, Fileas
Fogg, al que nada detenía, decidió
alquilar un barco pequeño
pero muy veloz para llegar
a la ciudad japonesa de Yokohama,
donde podrían abordar el vapor
General Grant. Debían darse prisa
y no tardar más de seis días.

La vuelta al mundo en 80 días

Cuando estaban a punto de zarpar de Hong Kong a Yokohama, los viajeros vieron a Fix en el muelle y lo invitaron a que fuera con ellos, sin imaginar que Fix era su perseguidor. Así llegaron juntos a Yokohama, a tiempo para abordar el *General Grant* y continuar su viaje a San Francisco. Habían transcurrido exactamente los seis días previstos.

Una vez instalados en ese gran vapor, estaban seguros de llegar a San Francisco en 22 días. Y así fue.

Al llegar a San Francisco, Fileas Fogg pidió a Paspartú que comprara tres boletos de ferrocarril para salir lo más pronto posible rumbo a Nueva York. A su vez, Fix se dirigió al consulado inglés, donde al fin había llegado la orden para arrestar a Fileas Fogg; pero la orden no era válida fuera del territorio inglés, y mientras estuvieran en los Estados Unidos no le serviría de nada; el detective decidió entonces continuar la persecución para atraparlo en cuanto llegara a Inglaterra. Fileas Fogg calculó que el trayecto en tren de San Francisco a Nueva York duraría siete días y que llegarían a tiempo para tomar el barco que zarparía el 12 de diciembre rumbo a Liverpool.

Sin embargo, el invierno ya había comenzado
y viajar por los Estados Unidos en esa época era muy
aventurado; había que cruzar las montañas Rocosas,
donde la nieve no cesa de caer y las vías férreas muchas
veces quedan completamente enterradas. Cuando alcanzó
la parte más alta de las montañas, el tren donde viajaban
Fileas y sus acompañantes no pudo continuar
y decidieron optar por otro medio de transporte.

Caminaron hasta la estación de Kearny. Cerca de allí vivía un extraño personaje que había ideado una especie de trineo de velas, con espacio para seis personas. El grupo de Fileas Fogg se aventuró a viajar en el trineo y salieron disparados montaña abajo. En muy poco tiempo llegaron a la estación de Omaha, donde pudieron tomar el tren expreso que pasa por Chicago y continúa hasta Nueva York.

Al llegar a Nueva York vieron que se habían respetado los siete días previstos; sin embargo, como se retrasaron unas horas, perdieron el trasatlántico que ya había salido rumbo a Liverpool.

Sin descorazonarse, Fileas Fogg se dirigió hasta el muelle de mercancías; allí encontró un pequeño barco francés que había llegado la víspera y se disponía a cargar mercancía para regresar a Burdeos. Fileas Fogg ofreció al dueño una buena suma de dinero si regresaba a Francia sólo con él, Paspartú y Auda como pasajeros. El dueño del barco aceptó y comenzó la travesía por mar.

Les quedaban justo nueve días para volver a Londres. Si hacían escala en Burdeos no llegarían a tiempo a Liverpool el sábado 21 para tomar el tren hacia Londres. Fileas Fogg, que en su juventud había sido un buen navegante, aprovechó que el capitán dormía para desviar el barco y finalmente llegar a tiempo a Liverpool. Con gran regocijo de los pasajeros y el enojo del capitán, finalmente los pasajeros desembarcaron en el puerto de Liverpool.

En el momento de pisar tierra inglesa, Fix se presentó
ante Fileas Fogg y, mostrándole la orden de arresto,
lo declaró prisionero. Fileas quedó
sorprendido, pues nunca sospechó
las intenciones del detective Fix.
Lo peor era que el tiempo transcurría
y que cada minuto ponía en riesgo
su llegada a Londres para ganar
la apuesta.

Unas horas después apareció
el jefe de policía y aseguró a Fix
que el verdadero ladrón
del Banco de Inglaterra
había sido capturado tres días antes.
Fix ofreció una disculpa y los viajeros pudieron
tomar un tren especial a Londres.

De acuerdo con los cálculos de Fileas Fogg, su arribo a Londres se efectuó exactamente el sábado 21 de diciembre, pero llegó a las 8:50… ¡Justo cinco minutos más tarde que lo convenido en la apuesta!

Fileas Fogg se dirigió tristemente a su casa acompañado de Auda y de Paspartú.

Al día siguiente Auda se dedicó a consolar a Fileas, y a pesar de la terrible situación, le confesó que estaba enamorada de él. Fileas Fogg le correspondió enseguida y se sintió recompensado de todos sus trabajos.

Inmediatamente le pidió a Paspartú que preparara todo para que el juez los casara al día siguiente. Paspartú obedeció pero regresó muy pronto, pues al cumplir su encargo se dio cuenta de que habían llegado el viernes 20 y no el sábado 21, como ellos creían, ya que al viajar de poniente a oriente habían ganado un día debido a los cambios de horario. Fileas Fogg no había tenido esto en cuenta en sus cálculos.

Paspartú corrió a dar la noticia a los novios y juntos corrieron al club *Reforma*.

Eran las 8:40 de la noche. Les quedaban cinco
minutos para cumplir con el plazo. Fileas Fogg
hizo su entrada triunfal al salón donde
lo esperaban sus amigos. No sólo ganó la apuesta,
sino que además tuvo el gusto de presentar
a su prometida y de invitarlos a todos a la boda.

La vuelta al mundo en 80 días

Lectura complementaria

Cristóbal Colón *Beatriz Ferro*

Hoy se conocen las tierras del mundo entero, pero no siempre fue así; primero hubo que descubrirlas, explorarlas, dibujar sus formas en el mapa.

El mapa del mundo comenzó a crecer cuando los marinos portugueses, italianos y españoles, empezaron a encontrar nuevas rutas en el mar y llegaron por ellas a nuevas tierras.

Aquellas primeras expediciones hicieron posible la gran hazaña de un marino genovés llamado Cristóbal Colón.

Él tenía una idea y un proyecto: la idea era que la Tierra era redonda. Su proyecto era llegar a las Indias Orientales, aquellas tierras fabulosamente ricas, navegando hacia el Oeste. Es decir, por una ruta hasta entonces desconocida.

Además, él creía que en aquellos lugares encontraría oro, plata, metales y piedras preciosas; animales y plantas extrañas, gigantes y enanos... Porque Colón, como mucha gente, prestaba atención a las leyendas fantasiosas que había oído.

Cristóbal Colón

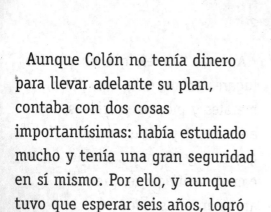

Aunque Colón no tenía dinero para llevar adelante su plan, contaba con dos cosas importantísimas: había estudiado mucho y tenía una gran seguridad en sí mismo. Por ello, y aunque tuvo que esperar seis años, logró que los Reyes Católicos de España, le dieran su apoyo.

Ellos lo nombraron almirante y gobernador de todas las tierras que descubriese. Y prometieron darle una parte de las riquezas que encontrara.

Algunos de sus compatriotas lo ayudaron con más dinero. Y así obtuvo por fin tres naves: *La Santa María*, *La Niña* y *La Pinta*. Colón quedó al mando de *La Santa María*, y los hermanos Martín y Vicente Pinzón de las otras dos.

Salieron del puerto de Palos. Días y noches navegaron hacia lo desconocido sin ver más que cielo y mar. Soplaban vientos contrarios. La tierra no aparecía...

La tripulación empezó a ponerse inquieta, a protestar. Faltaban ya el agua y la comida. Como era costumbre en aquellos tiempos,

soltaron los pájaros que llevaban a bordo; los pájaros seguramente volarían hacia tierra firme y de aquella manera les indicarían el rumbo.

Cristóbal Colón

Lectura complementaria

Habían llegado a la isla de Guanahaní, pero Colón la bautizó con el nombre de San Salvador. El marino genovés acababa de cumplir una hazaña importantísima: había descubierto América, un enorme continente que no figuraba en los mapas de su tiempo. Sin embargo, él nunca lo supo: creyó que aquella isla formaba parte de las Indias y que había realizado su proyecto. Por eso llamó *indios* a los habitantes que encontró en estas tierras.

Cristóbal Colón

Créditos editoriales

De los siguientes títulos se reprodujo el texto
y la mayoría de las ilustraciones originales:

Niña bonita, Ana María Machado, ilustraciones
de Rosana Faría, traducción de Verónica Uribe,
Venezuela, Ediciones Ekaré, 1994.
Sapo tiene miedo [Frog is frightened],
Max Velthuijs, traducción de Carmen Diana
Dearden, publicado por primera vez en
Inglaterra por Andersen Press, Londres, 1994;
publicado en español bajo el sello de Ekaré,
Caracas, Venezuela, 1994.
El caballo de arena [The sand horse], texto
de Ann Turnbull, ilustraciones de Michael
Foreman, traducción de Liliana Santirso,
publicado por primera vez en Inglaterra
por Andersen Press, Londres, 1989; publicado
en español por CELTA Amaquemecan
y la Dirección General de Publicaciones
del Consejo Nacional para la Cultura
y las Artes, México, 1990 (Barril sin fondo).

De los siguentes títulos publicados por la SEP
y la Unidad de Publicaciones Educativas
se reprodujo el texto:

"Pita descubre una palabra nueva", Astrid
Lindgren, en *Español. Tercer grado. Lecturas*,
2a ed., México, SEP, 1984.
"Lío de perros, gatos y ratones", "El traje
del rey", "La carrera del grillo y el caracol",
Mireya Cueto, en *La boda de la ratita y más
teatro-cuentos*, 6a reimpresión, México, SEP,
1994 (Libros del Rincón, serie Cascada).

Los siguientes textos fueron adaptados para
la presente edición con el consentimiento
de Innovación y Comunicación, S.A. de C.V.:

"Rayos y centellas", Sayavedra, Roberto,
en *Chispa*, núm. 20, revista mensual publicada
por Innovación y Comunicación, México,
junio de 1982.
"Las canicas: la arena que se convirtió
en vidrio", en *Chispa*, núm. 2, revista mensual
publicada por Innovación y Comunicación,
México, octubre de 1980.

Créditos de imagen

Se agradece la colaboración de las siguientes personas e instituciones :

Adriana León Portilla, Artes de México, Clío Libros y Videos, Consejo Nacional para la Cultura y las Artes-Instituto Nacional de Antropología e Historia, Espejo de Obsidiana Ediciones, Gabriel Figueroa, José Ignacio González Manterola, Lydia Sada de González, Rafael Doniz.

Fotógrafos
(Los números entre paréntesis y negritas indican la página de la presente edición donde aparecen las imágenes que se mencionan):

Rafael Doniz: *Hombre pájaro* y *Hombre jaguar*, pintura mural, Cacaxtla, Tlaxcala, CNCA-INAH **(148)**.

Gabriel Figueroa: *Tlalocan* (detalle), pintura mural, Teotihuacan, Estado de México, CNCA-INAH **(143, 146)**.

José Ignacio González Manterola: *Sin título (tazas de chocolate)* [*Del cacao al chocolate, op. cit.*, p. 81] **(175)**.

Javier Hinojosa: *Fraile tomando chocolate*, José María Oropeza, óleo, 1891, Museo Nacional de Historia-CNCA-INAH [*Del cacao al chocolate, op. cit.*, p. 22] **(174)**. *De español y mulata: morisca*, anónimo, óleo, siglo XVIII, Museo Nacional de Historia-CNCA-INAH [*Ibidem*, p. 19] **(174)**. *Etiqueta Crème de cacao*, París, 1912, Archivo General de la Nación [*Ibidem*, p. 32] **(174)**.

Pablo Oseguera Iturbide: *Trozos de chocolate* [*Del cacao al chocolate*, México, Clío Libros y Videos, 1998, p. 93 (La cocina mexicana a través de los siglos (segunda serie)] **(170)**. *Cacao: fruto y semilla* [*Ibidem*, p. 13] **(171)**. *Cacao* [*Ibidem*, p. 15] **(172)**. *Ristra de cacao* [*Ibidem*, p. 32] **(173)**. *Variedad de chocolates* [*Ibidem*, p. 37] **(174)**. *Variedad de molinillos*, Museo de Culturas Populares del Estado de México, Instituto Mexiquense de Cultura, Gobierno del Estado de México [*Ibidem*, p. 35] **(175)**.

Alberto Scardigli: *Árbol de cacao, Códice Florentino, libro 11*, Biblioteca Medicea Laurenziana, Florencia, Italia [*Del cacao al chocolate, op. cit.*, p. 12] **(171)**. *Buen tratante de cacao, Códice Florentino, libro 10* [*Ibidem*, p. 16] **(172)**. *Entrega de alimentos a los españoles, Códice Florentino, libro 12* [*Ibidem*, p. 18] **(173)**.

Bob Schalkwijk: *Cacao, fruto abierto* [*Del cacao al chocolate, op. cit.*, p. 15] **(171)**. *Planta de cacao* [*Ibidem*, p. 14] **(172)**.

Los números entre paréntesis y negritas indican la página de la presente edición donde aparecen imágenes de los títulos que se mencionan:

Arqueología Mexicana, vol. III, núm. 16, noviembre-diciembre 1995, México, CNCA, p. 16 **(146)**.

Benítez, Ana María, *Del cacao al chocolate. La cocina mexicana a través de los siglos*, México, Clío, 1998, pp. 12 **(171)**, 13 **(171)**, 14 **(172)**, 15 **(171-72)**, 16 **(172)**, 18 **(173 arriba)**, 19 **(174)**, 22 **(174)**, 25 **(170)**, 32 **(173 arriba y 174)**, 35 **(175)**, 37 **(174)**, 81 **(175)**.

Fragmentos del pasado. Murales prehispánicos, México, CNCA-INAH-UNAM-Instituto de Investigaciones Estéticas-Antiguo Colegio de San Idelfonso-Grupo TMM-Gruma, 1998, pp. 42 **(146)**, 108 **(147)**, 137 **(143)**, 160 **(143)**, 176 **(142)**, 276 **(140)**, 285 **(143)**.

Ortiz Lajous, Jaime, *Ciudades coloniales mexicanas*, México, Grupo Azabache-Secretaría de Turismo, 1994, p. 138 **(141)**.

Rochfort, Desmond, *Pintura mural mexicana*, traducción de Rodolfo Piña García, México, Grupo Noriega Editores-Limusa, 1993, p. 94 **(141)**.

Valles Septién, Carmen, *De México al mundo. Plantas*, México, s/e, 1992, p. 55 **(173)**.

Williams, Melanie, *Cómo hacer figuras de papel maché*, México, Diana, 1997, p. 41 **(129)**.

Wilson, Anne, *Golosinas de chocolate irresistibles*, traducción de Miguel Ortega Azcárate, Australia, Könemann, 1998, pp. 8 **(175)** y 24 **(175)**.

Español
Tercer grado. Lecturas
se imprimió en los talleres de la Comisión Nacional de Libros
de Texto Gratuitos, con domicilio en Av. Acueducto No. 2,
Parque Industrial Bernardo Quintana, C.P. 76246, El Marqués, Qro.,
en el mes de septiembre de 2008.
El sobretiro fue de 50,000 ejemplares,
sobre papel offset reciclado
con el fin de contribuir a la conservación del medio ambiente,
al evitar la tala de miles de árboles
en beneficio de la naturaleza y los bosques de México.

Impreso en papel reciclado